WILL GHÜNDEE
LE PASSAGE INTEMPOREL

Louis Lymburner

WILL GHÜNDEE
LE PASSAGE INTEMPOREL

ÉDITIONS
MICHEL
QUINTIN

Catalogage avant publication de Bibliothèque et Archives Canada
Lymburner, Louis

Will Ghündee : le passage intemporel

Pour les jeunes.

ISBN 978-2-89435-314-1

I. Clair, Martin. II. Titre.

PS8623.Y42W442 2006   jC843'.6   C2006-940599-9
PS9623.Y42W442 2006

Directeur de collection : Guy Permingeat
Illustrations de la couverture et des personnages : Martin Clair
Illustration de la carte : Louis Lymburner
Conception de la couverture et infographie :
    Marie-Ève Boisvert, Éditions Michel Quintin

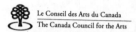

Le Conseil des Arts du Canada
The Canada Council for the Arts

Québec

Patrimoine canadien   Canadian Heritage

La publication de cet ouvrage a été réalisée grâce au soutien financier du Conseil des Arts du Canada et de la SODEC.

De plus, les Éditions Michel Quintin bénéficient de l'aide financière du gouvernement du Canada par l'entremise du Programme d'aide au développement de l'industrie de l'édition (PADIÉ) pour leurs activités d'édition.

Gouvernement du Québec – Programme de crédit d'impôt pour l'édition de livres – Gestion SODEC

ISBN 978-2-89435-314-1

Dépôt légal - Bibliothèque et Archives nationales du Québec, 2006
Dépôt légal - Bibliothèque et Archives Canada, 2006

© Copyright 2006

Éditions Michel Quintin
C.P. 340, Waterloo (Québec)
Canada J0E 2N0
Tél.:   450 539-3774
Téléc.: 450 539-4905
www.editionsmichelquintin.ca
www.willghundee.com

Imprimé au Canada

Ce livre est tout spécialement dédié à
une femme remarquable qui fut pour moi
une source d'inspiration et de motivation
tout au long de sa trop courte présence dans
nos vies et pour son inébranlable foi en moi :
ma mère, Monique Boyer, l'inoubliable,
dont l'empreinte maternelle demeurera
à jamais gravée dans mon cœur...

LE PASSAGE O

ROYAUME NORVËG

ROYAUME MALTÏSH

ÄLPES NORDÏQUES

RÉGION

LES TERRES ZARÏD

TERRES ÏNACCESSÏBLES

FORÊT DES ÏRBÏTS

BAÏE de HÖLM

MONT OÜRO

VALLÉE

VALLÉE du HANÖR

PASSAGE ÏNTEMPOREL

ZÖRGÜL

MONT UNÜK

LE RHOVÄD

LÏMÏTES du ROYAUME d'ARGÖSS

BAÏE du BORGNE

ROYAUME WOLLÖSS

ROYA GÖRC

ROYAUME NÏVÏTE

INTEMPOREL

GRAND
désert
d'OKLÄR

CONNUE

E

BASSES
terres du
ROCMÖR

TERRES
INHABITÉES

LA
MER
NOIRE

MONT
RÉRIDOS

CITÉ
d'ARGÖSS

ALPES
maudites

FORÊT
de
NHAM

MONT
KIRFÜ

FORÊT
VERTE

BROAKMÄR

ÎLE
du
nchot

GRAND ROYAUME d'ARGÖSS

MONT
KÉRPIEN

ROYAUME
de MALAGÖSH

MONT
THÉRÖS

MER du
TIBÖR

1

L'inévitable affrontement

Will errait, désemparé, dans la pénombre d'un souterrain, cherchant vainement dans sa mémoire embrouillée la raison de sa présence en ces lieux sinistres, lorsque soudain des coups sourds résonnèrent au loin.

« Boum… boum… boum! »

Le bruit devenait plus fort à mesure que Will avançait. C'était comme si l'on tentait d'enfoncer une porte à l'aide d'un bélier. Son cœur battait à tout rompre et le sentiment de courir un grand danger l'envahit. Son instinct lui dictait de fuir cet endroit lugubre avant qu'il ne soit trop tard. Il empoigna fermement son épée, prêt à toute éventualité. Tout en continuant d'avancer, malgré tout, avec prudence, il scrutait les murs de pierres qui l'entouraient pour trouver une issue.

Alors que le bruit s'intensifiait encore, jusqu'à devenir assourdissant, Will vit sur sa gauche une énorme porte en bois massif, bardée de ferrures sombres. Il eut alors l'effroyable intuition que, de l'autre côté, une force maléfique tentait de l'atteindre. Il se retourna pour rebrousser chemin et constata, abasourdi, que le sol avait disparu. Il se trouvait au bord d'un grand vide qui interdisait tout retour en arrière. Will fit de nouveau face à la mystérieuse porte qui vibrait sous les charges répétées. Elle se déformait, se tordait sous les coups puissants, risquant à tout moment de sortir de ses gonds ou de voler en éclats. Will la dépassa, mais, au premier tournant, il se retrouva devant un mur de roc, le passage se terminant en cul-de-sac.

Il était pris au piège. Malgré les grognements menaçants qui couvraient le vacarme, il décida d'affronter la force obscure qu'il pressentait de l'autre côté. Il revint donc en direction de la porte et en abaissa lentement le loquet... Il eut tout juste le temps de faire un bond en arrière que, dans un fracas d'enfer, la porte se rabattit violemment contre la paroi. Un épais brouillard envahit le souterrain, l'empêchant de voir devant lui. Tout à coup, un animal hideux au museau de bouledogue émergea de l'épaisse vapeur. Son corps, recouvert d'écailles irrégulières aux reflets cuivrés, était surmonté d'une tête aux babines baveuses d'où dépassaient de longs crocs jaunâtres. De nombreuses excroissances purulentes complétaient le faciès de cette créature cauchemardesque.

Puis les grognements se transformèrent peu à peu en un langage articulé. Bientôt, une voix humaine à l'accent rauque vomit sur Will un torrent d'injures. Le monstre bondit soudain vers lui mais, au dernier moment, il stoppa sa course en plein vol pour retomber sur ses pieds sous l'apparence d'un être humain. Stupéfait, Will reconnut le visage de Malgor, dont les yeux lançaient des éclairs.

Le sorcier! Mais c'est impossible!

— Will Ghündee, petit avorton! Tu pensais t'être débarrassé de moi à tout jamais? lança Malgor d'une voix forte. Sache que je suis IN-DES-TRUC-TIIIIII-BLE!

Puis celui-ci émit un rire si aigu et si grinçant que Will, les nerfs à vif, brandit son épée pour l'affronter. Mais, à son grand désarroi, son arme se mit brusquement à vaciller entre ses mains, puis disparut complètement, ne lui laissant dans la paume qu'une impression de froid glacial. Ainsi désarmé, Will recula jusqu'au mur tandis que Malgor s'avançait lentement, libérant la porte qui se referma bruyamment derrière lui.

Le sorcier projeta alors sur Will un puissant faisceau lumineux qui le paralysa de la tête aux pieds, puis il le saisit fermement par le cou et, d'une seule main, le souleva de terre pour le plaquer ensuite violemment contre la muraille. Impuissant sous cette étreinte mortelle, et alors qu'il allait perdre connaissance, Will entendit de nouveau un grand bruit en provenance de la porte.

« Boumm!... boumm!... boumm!... »

Puis plus rien…

☽ ☆ ☾

« Toc, toc, toc! »

Le front couvert de sueur et le cœur battant la chamade, Will entendait toujours des coups à la porte, mais ceux-ci semblaient maintenant moins menaçants. Lorsqu'il ouvrit les yeux, il vit qu'il était seul dans une chambre inconnue. À peine avait-il recouvré ses esprits qu'il entendit qu'on frappait à la porte.

Sans attendre de réponse, une femme pénétra dans la pièce et s'avança vers le lit. C'est alors que Will comprit que ce qu'il venait de vivre n'était qu'un affreux cauchemar.

La dame grassouillette et de petite taille qui était entrée portait un bonnet blanc et sa longue chevelure brune lui rappela sa bonne tante Marie.

Qui est-ce? Où suis-je?

La visiteuse lui sourit aimablement et, d'une voix douce, lui dit :

— Bonjour, jeune homme!

— Bonjour, murmura-t-il.

— Sais-tu que tu reviens de loin?

— Oh, vous n'avez pas idée!

La dame déposa devant Will le plateau de nourriture qu'elle avait apporté à son intention. Will se redressa sur ses oreillers et mangea avidement, sans reprendre son souffle.

— Dis donc, mon garçon! Le moins que l'on puisse dire est que tu as bon appétit! C'est bon signe, affirma-t-elle.

Puis elle ajouta :

— Je m'appelle Hélène Murphy. Et toi, qui es-tu?

— Je m'appelle Will, répondit simplement ce dernier, préférant taire son patronyme de peur d'être identifié et retourné illico chez l'oncle Tom.

Madame Murphy poursuivit :

— Will, sais-tu que cela fait quatre jours et quatre nuits que tu dors, mon garçon? Te souviens-tu du moment où nous t'avons recueilli?

— Non.

— Tu te tenais sur le seuil de notre commerce, tu étais à demi conscient. Tu aurais marché plusieurs jours sans boire ni manger. Après en avoir discuté, mon mari et moi avons décidé de te garder, le temps que tu récupères.

« Tu as déliré plusieurs fois durant ton sommeil, tu semblais très loin. Tu as prononcé d'étranges paroles où il était question d'un "Grand Esprit", d'un dénommé "Markus", ainsi que d'autres noms que je n'ai pas retenus. À plusieurs reprises tu as réclamé l'aide d'une certaine "Aurora"…

« Enfin, la nuit dernière, tu nous as réveillés en sursaut, criant à pleins poumons : "Malgor, maudit sois-tu! Nooooon... Le Huzak ne doit pas mourir!"

« Inquiète de te voir ainsi perturbé par ces cauchemars récurrents, j'ai tenté de te réveiller, mais en vain. J'ai donc décidé de faire venir le docteur McBride qui m'a tout de suite rassurée sur ton état de santé. Je me suis alors rangée à l'avis de mon mari qui ne cessait de me répéter : "Ce gamin ne dérange personne. Laisse-le dormir! Il se réveillera bien quand il aura assez récupéré." »

Will apprit par la suite que monsieur et madame Murphy étaient les propriétaires du magasin général. Ceux-ci, même s'ils ignoraient tout de lui, n'avaient pas hésité à l'héberger.

— Pouvez-vous me dire où nous sommes exactement? demanda Will.

— Ici c'est le village de Mont-Bleu, sur les terres du prince Victor.

« Bon, je te laisse à présent. Prends ton temps et, quand tu en auras envie, viens nous rejoindre », conseilla madame Murphy avant de quitter la pièce.

☽ ☆ ☾

Une fois seul, Will remarqua qu'on avait pris soin d'étendre la couverture des Koudishs sur son lit. Il se mit à songer à son séjour dans le monde parallèle.

Il se revit quittant sa tante Marie, qui l'avait recueilli après l'incendie de la maison familiale et la mort tragique de ses parents, pour fuir Tom, son oncle tyrannique.

Nostalgique, il se rappela son entrée dans la forêt, la rencontre avec Arouk, son fidèle compagnon, et leurs démêlés avec les créatures de Malgor. Il se souvint aussi de la mort horrible d'Arouk et de la révélation que lui avait faite la déesse Aurora sur la véritable identité du petit Taskoual. Son ami – qui était en fait un homme – s'appelait Gaël et servait la princesse Arthélia du royaume d'Argöss. Il avait été transformé en Taskoual par la méchante sorcière Zôria.

Il se souvint qu'après cette dure épreuve, il avait rencontré les Koudishs et avait été investi d'une mission capitale : délivrer le monde parallèle et ses habitants de l'emprise du sorcier Malgor.

Will revécut le moment où il avait accepté ce rôle de libérateur et l'instant inoubliable où le Grand Esprit lui avait confié l'épée divine, la seule arme capable d'anéantir l'usurpateur. Avec l'aide de ses alliés et après bien des luttes, Will avait finalement contribué à la victoire du bien sur le mal[1].

---

1. Voir *Le monde parallèle*, coll. Will Ghündee, Éditions Michel Quintin.

)) ☆ ((

Au bout d'un moment, malgré la clarté du jour et le brouhaha de la rue qui entrait par la fenêtre ouverte, les yeux de Will se refermèrent et ce dernier fut de nouveau vaincu par le sommeil.

À son réveil, quelques heures plus tard, il se sentait en pleine forme. Il descendit au rez-de-chaussée en empruntant l'escalier qui débouchait au fond de la boutique. Un homme mince et de petite taille, la tête ornée d'une couronne de cheveux grisonnants, était affairé derrière sa caisse enregistreuse. Aussitôt qu'il vit Will, monsieur Murphy interpella sa femme qui rangeait des pièces de tissu au fond du magasin :

— Tu vois, Hélène, je te l'avais bien dit que le gamin se lèverait quand il aurait suffisamment récupéré!

Puis le commerçant ajouta d'un air taquin :

— Ma femme... C'est une vraie mère poule!

Tout en repoussant d'un geste machinal ses lunettes rondes sur son nez, il lança à l'intention de Will :

— Hé, le jeune! Approche.

— Oui monsieur, répondit Will.

— Voudrais-tu me rendre un service et te faire un peu d'argent de poche? demanda Greg Murphy, avec un air de conspirateur.

— Un service? Bien sûr, monsieur! Toutefois, je ne saurais accepter d'argent. Vous et votre femme avez été si gentils de m'héberger. Qu'est-ce que je peux faire pour vous?

— Va chez le maréchal-ferrant. Dis-lui que tu viens de ma part pour prendre livraison de la commande. Il comprendra.

— D'accord. J'y vais tout de suite!

Will sortit sans même prendre le temps de demander l'adresse. Il prit la rue à droite, celle qui longeait le magasin, et se retrouva bientôt sur une place entourée de boutiques. Il avisa bientôt un homme trapu au crâne dégarni dont la taille était ceinte d'un long tablier de cuir. Convaincu qu'il s'agissait du cordonnier, Will l'aborda :

— Excusez-moi... Auriez-vous la gentillesse de m'indiquer où se trouve la boutique du maréchal-ferrant?

— Suis cette grande rue, puis tourne à gauche au premier carrefour. Continue jusqu'au bout et tu trouveras l'atelier du vieux Rod, répondit l'homme avant de frapper sa pipe sur le talon de sa botte.

— Merci bien, monsieur!

Will suivit ces indications et déboucha bientôt devant une échoppe. Un homme de forte stature, au visage taché de suie, martelait le fer avec conviction.

En apercevant Will, il s'interrompit et se dirigea vers lui :

— Que puis-je faire pour toi, jeune homme?

— Votre travail me semble très intéressant, monsieur, répondit Will, l'œil brillant.

L'homme, les biceps luisants de transpiration, répondit :

— Ce n'est pas un travail pour les mauviettes! C'est un métier physiquement très exigeant. Il faut être bâti pour ça!

Puis, soulevant sa casquette de cheminot, il se gratta la tête et, examinant Will de haut en bas, il finit par lui dire :

— Tu es nouveau ici? Je ne te connais pas. Tu cherches du travail?

— Euh… hésita Will. Je ne sais pas. Je ne suis que de passage. J'habite chez les Murphy pour le moment. D'ailleurs, c'est monsieur Murphy qui m'envoie prendre livraison de sa commande.

— Sa commande? Ah oui! répondit le commerçant avant de disparaître dans l'arrière-boutique et de revenir, une boîte à cigares dans la main.

Il en extirpa une breloque argentée et demanda à Will :

— Crois-tu qu'elle va l'aimer?

— C'est pour madame Murphy? s'enquit Will, émerveillé devant la beauté du bijou.

— Bien sûr! répondit fièrement le forgeron.

Je comprends maintenant pourquoi monsieur Murphy avait cet air étrange quand il m'a demandé d'aller chercher sa commande.

— Elle est magnifique! Comme j'aimerais apprendre à faire d'aussi belles choses!

— Je cherche justement un apprenti. Si le cœur t'en dit, jeune homme, je te prends à l'essai.

— Vraiment? fit Will avec enthousiasme.

— Certain! Toutefois, ne t'attends pas à exécuter tout de suite des œuvres d'art. Tu devras d'abord faire la basse besogne. Cela te permettra d'apprivoiser le métier.

— Pas de problème! répliqua Will, excité. Mais auparavant, je dois me trouver une chambre, car je ne saurais abuser plus longtemps de l'hospitalité des Murphy.

— Alors, tu logeras sous mon toit! décréta le maréchal-ferrant.

Puis il continua :

— On m'appelle Rod. Rod Bigsby. Et toi, mon garçon?

— Je m'appelle Will! répondit celui-ci en serrant la grosse main noircie que l'homme lui tendait.

— Voilà une affaire classée. Tu peux commencer aujourd'hui même si tu veux.

— Vraiment? Merci, monsieur Bigsby! Je cours porter la commande à monsieur Murphy et je reviens vous aider.

— Très bien, reprit l'homme, content d'avoir mis la main sur ce garçon enthousiaste.

2

Le joyau du
continent oublié

Durant les jours qui suivirent, Will aborda son nouvel emploi avec ardeur. Il était littéralement assoiffé de connaissances. Son attitude enchantait monsieur Bigsby qui n'avait jamais eu d'apprenti aussi assidu.

Jour après jour, semaine après semaine, Will voulait tout savoir du métier qu'il découvrait peu à peu. Si bien qu'au fil du temps le vieux Rod et lui devinrent de grands amis. Fier comme il ne l'avait jamais été, le maréchal-ferrant enseignait à Will tout ce qu'il savait, non seulement sur son métier, mais sur les talents artistiques qu'il avait développés au cours des ans. Rod et Dorothée Bigsby en vinrent même à considérer Will comme le fils qu'ils avaient perdu en bas âge à la suite d'une grave maladie.

Will s'était très vite habitué à sa nouvelle vie. Tous les matins, aux aurores, il descendait le premier à l'atelier et commençait sa journée d'apprenti forgeron. Il aimait tellement vivre à Mont-Bleu que les mois s'écoulaient sans qu'il s'en aperçoive. Il s'était découvert un fort attachement pour ce petit coin de pays montagneux qu'il trouvait très accueillant. C'est un sentiment qu'il n'avait d'ailleurs pas souvent ressenti auparavant.

Will s'était lié d'amitié avec Catherine McBride, la fille aînée du médecin, qui, malgré ses longs cheveux bruns bouclés et ses yeux bleus, affichait un côté garçon manqué qui la distinguait des autres filles de son âge.

Les deux amis, qui avaient beaucoup de points en commun, se retrouvaient presque tous les samedis pour une balade en forêt. Cette expédition se terminait souvent sur le vieux pont de bois où, leurs pieds pendant au-dessus de l'eau, ils regardaient évoluer les gros poissons de la rivière Blanche. Will et Catherine savouraient pleinement ces rares instants de franche camaraderie, durant lesquels ils discutaient et s'amusaient à refaire le monde.

Pourtant, même si Will appréciait tout ce que lui procurait·sa nouvelle vie, il ne pouvait s'empêcher d'éprouver à l'occasion de la nostalgie au souvenir de ses amis du monde parallèle. Quand ces pensées l'assaillaient alors qu'il était à l'atelier, il tentait chaque fois de les chasser en travaillant plus fort encore.

Son nouveau métier le mettait quotidiennement en contact avec les gens et, comme il aimait rendre service et résoudre toutes sortes de problèmes, cela l'aidait beaucoup à garder les pieds sur terre. De plus, son travail lui donnait l'occasion d'exploiter ses multiples talents qui, mystérieusement, s'étaient beaucoup développés depuis son aventure sylvestre.

Heureux comme il l'avait rarement été auparavant, Will faisait de son mieux pour prouver, à force de dévouement et de loyaux services, sa reconnaissance à son protecteur. Depuis qu'il était l'apprenti de Rod Bigsby, il arrivait souvent que les villageois viennent spécialement pour le voir et lui confier des réparations qui n'avaient aucun rapport avec son travail de forgeron. Rien ne résistait à la dextérité de Will, qui réparait pratiquement tout ce qu'on lui apportait. Cela plaisait beaucoup au vieux Rod puisque son commerce prospérait.

) ☆ (

Ce matin de septembre, il n'était pas cinq heures lorsque Will quitta la maison des Bigsby. Une forte envie de se forger une épée l'habitait depuis quelques semaines. Une fois à l'atelier, il enfila rapidement son tablier et se mit au travail, martelant à coups redoublés le métal rougi par le feu de la forge. Il était de plus en plus habile et, à force de minutie et de persévérance, il réussit à façonner une lame. Il s'attaqua ensuite à la hampe.

Il voulait cette épée, à laquelle il travaillait avec cœur, semblable à celle du Grand Esprit. Aussi, le fait d'apporter tant de soin à ce projet lui fit réaliser à quel point ses amis du monde parallèle lui manquaient. La fabuleuse aventure qu'il avait vécue là-bas, entouré de ses compagnons, l'avait littéralement transformé. Il en était ressorti plus serein et intérieurement plus fort. Depuis quelque temps, Will sentait le besoin de reprendre contact avec ceux de l'autre monde. Le seul moyen qu'il avait trouvé pour s'en rapprocher avait été de fabriquer cette réplique de l'épée du Grand Esprit.

Le village commençait à reprendre vie. Il devait être tout près de huit heures et demie maintenant. Le vieux Rod n'allait pas tarder à rejoindre Will, qui devrait alors reprendre ses tâches quotidiennes. Pourtant, il continua de travailler avec acharnement. Cet ouvrage le libérait enfin de la tension qu'il s'était imposée en réfrénant l'envie qu'il avait depuis un certain temps de réaliser son projet.

Brusquement, une étrange sensation le fit interrompre son travail. Will eut l'impression qu'une présence rôdait autour de lui, épiant ses moindres gestes. Il tenta vainement d'en découvrir l'origine, puis il chassa cette idée et se remit à l'ouvrage.

Il était de nouveau absorbé par ce qu'il faisait lorsqu'un son bizarre, derrière lui, attira son attention. C'était comme si quelqu'un heurtait une pièce de métal en émettant, chaque fois, des grognements et des gémissements plaintifs. Intrigué, Will cessa net son travail. Bien que l'épée fût encore chaude, il la prit et se dirigea vers le fond de l'atelier, d'où semblait provenir le bruit. C'était l'endroit où, sous de grandes bâches, le vieux Rod entreposait différents articles en attente de réparation. Will perçut un mouvement derrière l'une des toiles. Une « bosse » se déplaçait rapidement entre les objets. Lorsque des chuchotements se firent entendre, Will fut convaincu de la présence d'intrus dans l'atelier. En voyant que la curieuse présence fonçait vers la porte arrière, Will, agile comme un chat, se précipita. Il se faisait un point d'honneur de protéger les biens du vieux Rod. De la pointe de sa lame, Will barra la route à la silhouette. Prise au piège, celle-ci tenta de s'échapper, percutant au passage plusieurs pièces métalliques. Will piqua encore une fois son épée. Cette fois, l'intrus était acculé au mur. Tout en se tenant sur ses gardes, Will souleva doucement le coin de la toile, en se demandant à qui il avait affaire.

Il aperçut alors non pas un, mais deux visages apeurés qui le regardaient.

— Markus! Yolek! Mais que faites-vous ici? s'exclama Will.

— Willlllll!

Aussitôt qu'ils le reconnurent, les petits hommes se précipitèrent sur lui et lui donnèrent la longue accolade traditionnelle des Koudishs.

Puis ils déclarèrent en chœur :

— Enfin te voilà! Nous t'avons finalement retrouvé, Will Ghündee!

— Tu nous as tellement manqué, renchérit Markus. Pas un jour ne s'est écoulé sans que nous ayons une pensée pour toi. Tu es parti sans nous prévenir. En constatant ton absence, nous avons craint le pire. Nous avons donc convoqué une réunion d'urgence afin de demander à nos amis Golgoths et Shinöks de nous aider à te retrouver. C'est alors que le Huzak nous a avisés que tu étais reparti dans ton monde. Cela a calmé nos inquiétudes. Nous avons repris notre train-train quotidien, mais sans jamais t'oublier, mon ami.

— Oui, et nous parlons encore de toi dans nos rencontres avec les compagnons, ajouta Yolek.

— Vous aussi, vous m'avez beaucoup manqué. D'ailleurs, le monde parallèle me manque tellement que j'ai eu cette envie folle de reproduire l'épée du Grand Esprit. Regardez! Elle commence à prendre forme. Qu'en pensez-vous? demanda Will.

— Super! s'exclama Markus, tu as vraiment du talent pour façonner le métal. Il ne reste plus qu'à la polir.

— C'est en effet une bonne reproduction, mais hélas, je n'ai pas de pierres précieuses. Mon épée ne sera donc jamais qu'une piètre réplique de l'original, soupira Will.

Devant la déception évidente de Will, Markus regarda Yolek et dit :

— Will, nous serions heureux de t'offrir un cadeau en témoignage de notre attachement.

— Un cadeau? fit Will, curieux.

Les deux Koudishs prononcèrent alors d'étranges paroles. En gesticulant, ils passèrent et repassèrent les mains au-dessus de l'épée. Celle-ci se mit à briller et sa lame redevint rouge comme si elle sortait du feu de la forge. Les Koudishs recouvrirent ensuite l'arme d'une fine poudre dorée et prononcèrent une incantation. Aussitôt, la lame étincela si fort que Will en fut momentanément ébloui. L'épée toujours en main, il ouvrit les yeux. En voyant ce que ses amis avaient fait de l'arme, il resta muet d'admiration.

Avec les pierres précieuses que Markus et Yolek avaient incrustées dans sa hampe, elle était maintenant aussi belle et étincelante que celle du Grand Esprit.

— Quel formidable présent vous m'avez fait! Merci de tout cœur, mes amis! s'exclama Will.

— Ce n'est rien, répliqua Markus, nous te devons tellement.

— Au fait, comment m'avez-vous retrouvé?

— C'est Kiröd, reprit Markus. Il a utilisé sa magie afin que nous réapparaissions le plus près possible de l'emplacement où tu te trouvais. Mais pour arriver à te localiser, il a dû prier et jeûner jour et nuit durant près d'une semaine. Tu te souviens? Nous t'avions dit que nous serions désormais liés à toi, dans un monde comme dans l'autre.

— Hum… fit Will. C'était donc cette présence que je ressentais tout autour de moi, peu de temps avant votre arrivée.

— Oui. C'était celle de Kiröd. Il essayait de te localiser, précisa Markus.

Puis tout en jetant un regard complice à Yolek, il déclara :

— Will, nous avons fait ce voyage pour te remettre un présent spécial. Veux-tu le voir?

— Encore! De quoi s'agit-il, cette fois? demanda Will.

Markus sortit de sa poche un petit sac en tissu bleu, fermé par un ruban, duquel s'échappait des rayons lumineux de couleur ocre qui attisèrent la curiosité de Will. Il l'ouvrit précautionneusement.

— Voici la pierre ancestrale du Guibök. C'est un continent oublié de notre monde où vivaient autrefois certains de nos ancêtres qui pratiquaient une magie plus puissante que la nôtre. Elle a le mystérieux pouvoir de révéler l'avenir. Elle peut même te montrer ce qui se passe dans notre monde. Allez Will, prends-la dans le creux de ta main et ferme les yeux. Tu pourras constater ses effets. Si l'expérience te plaît, elle est à toi!

Will s'approcha de la pierre. Elle avait la grosseur d'une prune et rayonnait comme un soleil miniature. Son arme encore au poing, il admira le joyau un moment puis, ne pouvant se retenir plus longtemps, il toucha la pierre de sa main. Aussitôt l'atelier fut inondé d'un flux de lumière très intense. Durant un bref instant, Will perdit toute notion du temps et de l'espace. Il se retrouva pris au cœur d'un tourbillon de couleurs jaunes et orange vif qui brillaient en alternance. Il aperçut, sous lui, Markus et Yolek prisonniers eux aussi de cette étrange spirale lumineuse. Will fut ensuite précipité dans une sorte de malstrom argenté dans lequel il glissa à toute vitesse, puis il se sentit tomber dans le vide. En proie à la panique, il ferma les yeux et cria :

— Markus, Yolek… faites quelque chose!

Enfin, sans heurts, Will se retrouva sur la terre ferme, étendu dans les hautes herbes. Fortement ébranlé par ce voyage forcé, il ouvrit les yeux. En voyant au-dessus de lui les branches d'un énorme amura s'agiter au vent, il comprit qu'il était revenu dans le monde parallèle. Il se trouvait dans la forêt de Holdafgërg. Surpris, il constata que son épée avait disparu. Markus et Yolek surgirent bientôt tout près de lui, ce qui le fit sursauter. Secoués par le voyage, Will et les deux Koudishs avaient peine à s'en remettre.

Tout en se relevant, Markus s'empressa auprès de Will :

— Ça va? Rien de cassé?

— Non, ça va. Juste un peu déboussolé, répondit ce dernier en se relevant lentement.

Il tituba un peu avant de retrouver un semblant d'équilibre. L'air contrarié, il demanda :

— Mais pourquoi m'avoir ramené ici?

— Il le fallait. Pardonne-nous de ne pas t'avoir demandé ton avis. Tu as l'air tellement bien adapté à ta nouvelle vie que nous avons eu peur que tu refuses de nous suivre... bredouilla Markus, la tête basse.

— Mais voyons, mes amis! Vous savez bien que si cela avait été possible, je serais revenu au moindre appel. En doutez-vous encore après tout ce que nous avons vécu ensemble? demanda Will.

— Non, plus à présent, acquiesça Markus. Je constate que nous avons fait une erreur en te cachant nos véritables intentions.

— Je vous pardonne! déclara Will, en voyant leur mine déconfite.

— Merci Will! s'exclamèrent les deux Koudishs.

— Je savais que tu ne nous en tiendrais pas rigueur, lança Markus.

— Maintenant, vous allez me dire ce qui se passe de si grave pour que Kiröd ait supporté tant de privations dans le seul but de me ramener ici.

À son tour, Yolek se mit à parler d'une voix hésitante :

— Il... il s'est produit... une chose terrible aux ruines de Bayoss. Tu dois nous aider...

— Aux ruines de Bayoss? s'étonna Will. Que s'est-il passé exactement?

— C'est Jawäd, reprit Markus. Il a mystérieusement disparu et depuis, notre climat est dangereusement instable. Il faut que tu nous aides.

— Jawäd? Disparu! Mais comment est-ce arrivé? questionna Will.

À ce moment, d'énormes nuages noirs, accompagnés d'éclairs et de grondements inquiétants, passèrent rapidement au-dessus des trois compagnons.

— Suis-nous jusqu'au village. Le chef Kiröd pourra mieux que quiconque t'expliquer tout ça, précisa Markus. Viens vite! Il t'attend.

3
Une étrange disparition

Les Koudishs accueillirent Will avec enthousiasme à son arrivée au village. Tous l'entourèrent aussitôt pour lui manifester leur joie. Ce bain de foule toucha beaucoup Will.

Le calme revenu, Kiröd s'approcha de lui :

— Salutations à toi, Will Ghündee! Comme c'est bon de te revoir. Ton départ soudain nous a causé tout un choc.

— Vous aussi, vous m'avez manqué! lança Will.

— Assez pour avoir ressenti le besoin de te forger une épée? le taquina Kiröd.

— Comment l'avez-vous appris? bredouilla Will.

— Je t'ai vu travailler le fer quand j'ai repéré l'endroit où tu te trouvais. Alors, tu ne nous en veux pas trop d'avoir troublé ta quiétude? reprit Kiröd.

— Non, ça va.

— Je suis heureux de te l'entendre dire, car nous avons un grave problème et tu es sans doute le seul à pouvoir le résoudre. Je savais que Markus et Yolek sauraient te convaincre de revenir.

— En effet, ils ont su! dit Will, en jetant aux deux Koudishs un regard qui en disait long.

Ces derniers ignorèrent l'allusion, encore un peu gênés de leur subterfuge.

— De quoi s'agit-il? questionna Will.

— Jawäd a disparu et du coup, les conditions climatiques de notre monde ont complètement changé. Nous ne savons plus quoi faire pour retrouver notre ami et rétablir la température clémente à laquelle nous sommes habitués.

— Qu'est-il arrivé à Jawäd?

Kiröd commença alors le récit des derniers événements...

☽ ✫ ☾

Selon Lïshia, sa compagne, Jawäd avait perdu
le goût de vivre depuis un certain temps. Le fait
que sa famille et lui soient les derniers survivants de la race Amik l'obsédait. Cela le faisait
énormément souffrir et il dépérissait à vue
d'œil.

Un matin, de bonne heure, Zhüri, son fils aîné,
l'entendit sortir. Inquiet, il décida de suivre
discrètement son père. Jawäd emprunta le
chemin menant aux ruines de Bayoss, là où
vivait autrefois le peuple Amik. Une fois sur
place, Zhüri, qui se tenait à bonne distance pour
éviter d'être repéré, se demanda pourquoi son
père était venu dans cet endroit désert. Puis il
le vit commencer à fouiller dans les ruines et
déterrer des objets. Par moment, Jawäd s'arrê-
tait pour tâter la paroi rocheuse.

Enfin, dans un recoin sombre, il trouva une
ouverture. Il y entra résolument, talonné par
Zhüri. Au passage, ce dernier constata que les
murs étaient recouverts de symboles qu'il ne
comprenait pas.

Puis au détour d'un couloir, Jawäd disparut
derrière un muret. Inquiet, Zhüri pressa le pas
et se retrouva dans une pièce qui semblait être
un ancien lieu de culte. Son père déchiffrait

à voix haute des pictogrammes retranscrits par les anciens sur le mur derrière l'autel. N'obtenant pas de réponse à ses incantations, Jawäd, en proie à une violente crise de larmes, tomba à genoux. Dans une prière désespérée, il invoqua l'âme de ses ancêtres et les implora de sauver sa race de l'extinction.

Après être resté prostré dans l'attente d'une manifestation, Jawäd entra dans une terrible colère. Saisissant une grosse pierre, il se vida de son trop-plein d'émotions en frappant de toutes ses forces sur une des cloisons de la pièce.

À ce moment, une portion de la paroi s'effondra en laissant jaillir une intense lumière blanche. Simultanément, un bourdonnement assourdissant se fit entendre. Jawäd dégagea le passage et lorsque l'ouverture fut assez large, il passa de l'autre côté, sous le regard de plus en plus inquiet de son fils.

Ignorant sa peur, Zhüri s'y glissa à son tour. Il distingua tout à coup une source aveuglante et aperçut son père qui s'avançait vers elle.

N'y tenant plus, il cria à pleins poumons : « Noooon, papa! Reviens! »

Mais Jawäd, qui était aspiré par cette mystérieuse émanation, continua sa progression inexorable. Quand le contact eut lieu, une forte déflagration fit trembler tout le mont Bayoss. Puis Jawäd disparut dans une gerbe d'étincelles multicolores.

En proie à la panique, Zhüri eut le réflexe d'aller rejoindre son père. Mais au tout dernier moment, une voix sépulcrale se fit entendre qui l'en dissuada. La dangereuse tentation écartée, la voix se manifesta de nouveau : « Rien ne sert de se lancer à sa suite. Seul l'Élu peut retrouver le disparu et ramener l'équilibre climatique en ce monde. »

Sans trop comprendre l'allusion au climat, Zhüri se dirigea vers la sortie. À l'extérieur, un terrible orage se déchaînait. C'est sous une pluie diluvienne ponctuée d'éclairs fulgurants et de tonnerre qu'il revint en toute hâte prévenir sa mère du drame qui venait de se produire.

☽ ☆ ☾

Kiröd poursuivit :

— Peu de temps après, Lïshia vint me demander de l'aider à retrouver son époux.

— Cela m'attriste beaucoup, déclara Will. Je compatis sincèrement, mais je ne sais que faire pour vous aider. Qu'attend-on de moi exactement?

— Pourquoi n'irais-tu pas d'abord examiner les lieux avec Markus? Vous trouverez peut-être sur place un indice qui vous mettra sur la bonne voie.

Tous les yeux étaient fixés sur Will qui essayait tant bien que mal de remettre de l'ordre dans ses idées. Puis il remarqua dans l'assemblée le petit Wümai, le benjamin de Jawäd. De son regard mouillé, le jeune garçon l'observait avec une telle intensité qu'il n'en fallut pas plus à Will pour balayer toutes ses hésitations. Dans un élan de sympathie, il déclara :

— J'irai aux ruines de Bayoss et je ramènerai Jawäd!

Aussitôt, Wümai jaillit de la foule en courant et vint serrer très fort la jambe de Will, tandis que Lïshia et Zhüri laissaient échapper un grand soupir de soulagement.

Kiröd vint se placer devant Will :

— Merci, Will Ghündee! Je savais qu'on pouvait compter sur toi. Tu es à la hauteur de ta réputation.

Puis il se tourna vers Markus :

— Je compte sur toi. Utilise ta magie aux moments opportuns et ramène-les, lui et Jawäd, sains et saufs!

— Oui, chef! s'exclama Markus, fier d'être de nouveau jumelé à Will.

Bien que très attaché à tous les Koudishs, Will avait développé avec Markus une profonde amitié. Il était donc très heureux de repartir en mission, si périlleuse fût-elle, avec celui qu'il considérait presque comme un frère.

☽ ✩ ☾

Pour faire honneur à la présence de Will, les Koudishs préparèrent leurs plats les plus savoureux. Tous mangèrent avec appétit tout en parlant et en plaisantant. Le repas terminé, Kiröd prit Will et Markus à part :

— Cette nouvelle mission peut être plus risquée encore que la précédente, car vous allez vers l'inconnu. C'est pourquoi je tiens à préciser que vous ne devez pas risquer vos vies pour la mener à terme. Une fois sur place, si vous jugez que cela devient trop dangereux, retirez-vous.

— Nous irons jusqu'au bout, chef, et nous ramènerons Jawäd à sa famille! déclara Will.

— Très bien, alors, vous avez ma bénédiction. Je vous recommanderai aussi à la protection du Grand Esprit. Soyez prudents, je vous en conjure!

☽ ✩ ☾

Les ruines de Bayoss étant à plusieurs heures de marche, Will suggéra à Markus de partir immédiatement.

Ils cheminèrent longtemps, côte à côte.

Lorsque l'obscurité se fit plus dense, Markus s'exclama :

— Will, il est peut-être temps de trouver un coin pour la nuit, tu ne crois pas?

— Je suis d'accord avec toi, dit Will qui se mit aussitôt en quête de l'endroit propice.

Un bosquet attira son attention.

— Que penses-tu de ces arbustes, mon ami? Nous serions bien ici. Je pourrais nous cons-truire le plus bel abri de fortune que tu aies jamais vu!

— Ça me va! Mais, Will, crois-tu que nous y serons vraiment à l'abri des Göraks[1]? lâcha Markus.

— Les Göraks! s'étrangla Will.

Voyant sa mine, Markus pouffa de rire :

---

1. Voir *Le monde parallèle*, coll. Will Ghündee, Éditions Michel Quintin.

— Ah! je t'ai bien eu! Avoue-le! lança Markus, fier de son coup.

— Petit plaisantin! Oui, tu m'as bien eu!

Et Markus continua :

— Le seul véritable danger qu'il y ait à présent dans ce monde se trouve là où nous nous dirigeons : aux ruines de Bayoss.

— Au moins, on ne risque pas d'y rencontrer des Göraks! Je vais aller couper des branches et nous trouver de quoi manger, lui répondit Will.

— Oublie la nourriture. J'ai apporté tout ce qu'il faut pour nous sustenter, assura Markus.

Will se dirigea vers le petit bois et, à l'aide du canif fétiche que lui avait offert sa tante Marie, il tailla une dizaine de branches bien touffues qu'il disposa habilement à couvert. Markus sortit de sa veste un minuscule morceau de pain ainsi que d'autres restes microscopiques, vestiges du repas précédent. Il disposa le tout avec soin sur un rocher plat. Cette fois, c'est Will qui s'esclaffa à la vue de ce festin de fourmis :

— Et tu crois nous restaurer avec ça? Tu sais pourtant que j'ai un gros appétit! Je file chercher des fruits, sinon, nous allons mourir de faim!

— Attends! Tu vas voir ce que tu vas voir!

Will s'assit sur une souche et le regarda faire sans mot dire. Markus prononçait déjà son incantation qu'il fit suivre d'un remerciement au Grand Esprit pour l'abondance de la nourriture offerte. Will n'avait qu'une envie : pouffer de rire. Mais il réussit à se contenir.

Puis, tout à coup, devant ses yeux incrédules, le morceau de pain se mit à grossir jusqu'à devenir une miche entière. Les restes d'aliments disposés devant eux augmentèrent de volume dans les mêmes proportions. Après ce qu'il venait de voir, Will se sentait un peu gêné d'avoir douté des pouvoirs de son ami.

— Crois-tu toujours que nous n'aurons pas assez à manger? lança Markus, satisfait.

— Tu me surprendras toujours! rétorqua Will.

Ils mangèrent et évoquèrent leurs souvenirs communs.

À la fin de la soirée, Markus succomba au sommeil dès qu'il fut installé pour la nuit. Will, quant à lui, médita sur cette périlleuse mission. Où pouvait bien être son ami Jawäd? Et quelle formidable raison l'avait poussé à partir ainsi, en laissant derrière lui femme et enfants? Sous les lunes jumelles, il pensa au vieux Rod et à sa compagne qui devaient sans doute être morts d'inquiétude à son sujet. Épuisé, la respiration régulière de Markus aidant, Will sentit enfin le sommeil monter tout doucement en lui.

4

Un voyage insolite

Au petit matin, Will fut réveillé par la voix de Markus. Il sortit de l'abri pour aller voir avec qui son ami discutait. Ce dernier se tenait debout et fixait l'horizon.

— Bonjour, Markus!

— Salut à toi, Will! Tu as bien dormi?

— Oui. Et cela m'a fait le plus grand bien! À qui parlais-tu tout à l'heure?

— À moi-même. Je me demandais à voix haute quel était le chemin le plus court pour atteindre rapidement les ruines de Bayoss...

Finalement, je pense qu'il serait sage d'appeler le Huzak. Lui saura nous guider.

— Bonne idée! fit Will, que la perspective de revoir son ami ailé enchantait.

Markus sortit de sa poche un minuscule cor en écorce de Balbüza, avec lequel il modula un son aigu. Ce chant se termina par une sorte de roucoulement. À la grande déception de Will, malgré ces appels répétés, le fier oiseau ne se manifesta pas. Will partit donc en direction de la forêt dans le but de ramasser quelques fruits pour le petit-déjeuner.

Alors qu'il se remémorait quelques souvenirs agréables, une voix aux intonations familières le tira de ses pensées :

— Alors, grand voyageur, pas trop dépaysé?

Will releva la tête et aperçut le Huzak perché sur une branche.

— Huzak! Comment vas-tu? Je suis heureux de te revoir!

— Moi aussi, Will Ghündee! J'ai entendu dire qu'on t'avait confié une autre mission importante?

— Oui, le chef Kiröd m'a demandé de retrouver le pauvre Jawäd qui a disparu au mont Bayoss.

D'ailleurs, si on t'a fait venir, c'est pour que tu nous indiques le plus court chemin pour nous y rendre.

— Je vous guiderai jusqu'aux ruines, si vous voulez. Mais une fois sur place, je ne pourrai plus rien pour vous. Il y aurait là-bas une mystérieuse source d'énergie d'une puissance incontrôlable. Il faudra être très prudent parce que si un incident semblable à celui qui a détruit jadis le village Amik se produisait de nouveau, cela pourrait compromettre gravement et de façon permanente l'équilibre de notre monde. Tu as sûrement remarqué les changements climatiques que nous subissons déjà…

— Je sais, oui. Ne t'inquiète pas, Huzak. Nous ferons très attention.

— Très bien, alors allons-y!

Will rejoignit Markus et tous deux se mirent en route. Ils empruntèrent le sentier que le Huzak leur indiquait du haut des airs.

☽ ☆ ☾

Arrivés au pied du mont Bayoss, Will et Markus entreprirent sans attendre l'ascension de la montagne. Les ruines se dessinèrent bientôt à l'horizon. Après moult mises en garde, le

Huzak repartit d'un vol lourd en laissant Will et Markus à eux-mêmes.

Dans le but de trouver tout indice qui pourrait les mener à Jawäd, Will et Markus pénétrèrent sous le premier porche accessible. Au bout d'un long moment de recherches infructueuses, Will était à bout de patience. Il s'écria :

— Gardien, es-tu là?

Mais son appel resta sans réponse.

— À qui t'adresses-tu comme ça? lui demanda Markus.

— Au gardien de ces ruines.

— Et tu crois qu'il va se manifester, ce gardien?

— J'en suis sûr! J'ai déjà communiqué avec lui. S'il est encore là, il me répondra!

Will continua d'interpeller l'énigmatique cerbère mais, n'obtenant aucun résultat, il se résigna à quitter l'endroit.

— Ton gardien est trop froussard pour répondre, lança Markus.

— Qui ose me traiter de froussard? gronda la voix sépulcrale que Will reconnut aussitôt.

— Gardien, je te prie d'excuser mon ami. Il n'avait pas l'intention de te manquer de respect, s'empressa de dire Will.

Markus, qui était mort de peur, semblait sur le point de disparaître.

— Alors, qu'attends-tu de moi? Parle!

Will répondit d'un ton respectueux :

— Nous sommes à la recherche de notre ami Jawäd. Selon son fils, il serait entré dans ces ruines – où son peuple vivait autrefois – et n'en serait jamais ressorti.

— Ton ami Jawäd a malheureusement forcé l'entrée du lieu sacré qui fut condamné autrefois par les sages de la tribu des Amiks. Il a franchi le « passage intemporel ». Maintenant, le malheur est sur lui!

« Seul le Grand Esprit connaît les risques encourus de part et d'autre du passage si quelqu'un tentait de rejoindre Jawäd. »

— Mais nous ne pouvons abandonner notre ami, reprit Will.

— Inconscients que vous êtes! s'exclama le gardien. Si vous empruntez ce sinistre couloir, sachez que vous risquez de vous retrouver coincés à tout jamais dans un monde inconnu!

— Le Grand Esprit nous protégera comme Il l'a déjà fait, déclara Will.

— Tu sembles bien sûr de toi! Mais, étant donné que seul l'Élu peut mener à bien cette mission et considérant tout ce que tu as déjà accompli pour ce monde, je consens à vous aider. Voici la marche à suivre :

« Avant toute chose, tu devras revenir sur tes pas jusqu'à l'entrée des ruines. Là, tu verras un grand visage de pierre sculpté à même la montagne. Examine attentivement la paroi rocheuse à proximité. Tu remarqueras une brèche dans le roc. C'est par cette brèche que ton ami Jawäd est entré.

« Une fois à l'intérieur, tu verras un couloir. Emprunte-le et, au premier croisement, tourne à droite. Cela te conduira au temple des Amiks, d'où ton ami a disparu. Toutefois, prends bien garde à la puissante source d'énergie qui se trouve à cet endroit. Découverte par les anciens de la tribu, celle-ci avait le pouvoir de rendre ce peuple quasi immortel.

« Malheureusement, un jour, quatre individus poussèrent la curiosité jusqu'à pénétrer au cœur de celle-ci, sans vraiment connaître l'étendue des pouvoirs en jeu. Cette intrusion provoqua une forte explosion comme cela survient chaque fois que quelqu'un emprunte le passage intemporel. Ce jour-là, cependant, la déflagration fut si terrible que nos habitations construites dans le roc du mont Bayoss s'effondrèrent. Presque tous les habitants, y compris moi-même, furent ensevelis vivants.

« Sache que si tu empruntes ce passage, nul ne sait où tu te retrouveras et si tu pourras en revenir un jour. »

Sur ces dernières paroles, le gardien se tut.

— Merci pour ton aide et tes précieux conseils, gardien, et navré pour toi et les tiens qui avez péri ici. Nous prendrons la décision que nous dicte notre coeur, ajouta Will.

— Prudence, il y a déjà eu trop de morts ici, termina la voix.

— Qu'en penses-tu, Markus?

— Nous avons déjà traversé des épreuves tout aussi dangereuses. Le Grand Esprit et la déesse Aurora nous ont toujours protégés. Je crois qu'il faut continuer de leur faire confiance et essayer de secourir Jawäd, répondit sagement Markus.

— Tu as raison. Allons-y!

☽ ☆ ☾

Will et Markus retournèrent donc à l'entrée des ruines. En suivant l'itinéraire tracé par le gardien, ils arrivèrent bientôt dans l'ancien temple Amik.

Une fois sur place, Will remarqua une forte lueur provenant du second corridor après le croisement. Soudain, la pierre d'Aurora, qui pendait à son cou, se mit à scintiller. Will et Markus avancèrent lentement. Un bourdonnement inquiétant se fit bientôt entendre. Malgré tout, les deux amis traversèrent le mur que Jawäd avait défoncé et furent aussitôt accueillis par un fort courant lumineux. Le bruit était devenu si assourdissant qu'ils furent contraints de plaquer leurs mains sur leurs oreilles. Quand ils furent à quelques pas de la source d'énergie, la lumière et le bourdonnement devinrent insupportables. Will et Markus ne purent s'empêcher de crier de douleur. Puis, une fulgurante explosion se fit entendre et tous deux perdirent connaissance.

☽ ☆ ☾

Lorsqu'ils reprirent conscience, Will et Markus étaient allongés sur un sol spongieux, au milieu d'un immense marécage. De cette nappe d'eau stagnante émergeaient plusieurs îlots de terre recouverts de mousse verte semblable à celle qui pendait des squelettes d'arbres peuplant le lugubre endroit.

— Ça va, Will?

— Oui, et toi? Pas trop secoué?

— Non, pas trop. Mais ce lieu ne me dit rien qui vaille!

— À moi non plus. Je pense que nous avons franchi le passage intemporel. Soyons prudents, dit Will.

Puis, se relevant, il poursuivit :

— Reste derrière moi, ne t'éloigne surtout pas.

Alors que Will balayait du regard le paysage environnant, il aperçut une montagne, loin au-dessus des arbres. Il eut tout à coup l'intuition qu'ils devaient aller dans cette direction.

Progressant lentement sur le sol détrempé, Will et Markus s'efforçaient de choisir les endroits les plus stables.

Soudain, Markus s'immobilisa et chuchota à l'intention de son ami :

— Will! J'ai senti bouger sous mes pieds!

— C'est sûrement parce que le sol est marécageux que tu as cette impression.

— Non, lança Markus, de plus en plus inquiet. Regarde par terre! Il y a des yeux qui nous surveillent!

— Allons! Il n'y a ici que de la mousse verte et des bulles d'air qui montent des profondeurs du marais.

— Will, examine bien le sol, tu vas voir!

Will se mit à observer autour de lui avec attention. Au bout d'un moment, il remarqua une quantité impressionnante de petites billes noires disposées un peu partout à la surface du sol spongieux. Regroupées par paires, ces dernières suivaient les moindres gestes des deux amis.

— Tu as raison. Ça ressemble vraiment à des yeux. Mais qu'est-ce que cela peut bien être? chuchota Will.

— Je l'ignore! balbutia Markus, collé aux talons de son compagnon.

Prenant soin de regarder où ils mettaient les pieds, ils continuèrent malgré tout d'avancer. Bientôt, ils entendirent derrière eux un étrange bruit de succion. Sitôt retournés, ils virent le sol se fendiller, renvoyant d'horribles sons visqueux. Des silhouettes humanoïdes commencèrent à émerger de la vase et se dressèrent tout autour d'eux comme pour les empêcher d'aller plus loin. Will et Markus n'en croyaient pas leurs yeux. Ces créatures, au corps recouvert de feuilles et de mousse verte, faisaient une fois et demie la taille de Will. La texture de leur peau semblait essentiellement composée de matières végétales.

Ayant le réflexe de dégainer son épée, Will se rappela en portant la main à sa ceinture que son arme n'avait pas suivi son transfert dans le monde parallèle.

— Laissez-nous passer! menaça-t-il, les poings serrés.

Ses paroles n'eurent aucun effet sur les étranges créatures qui resserrèrent légèrement le cercle. Will remarqua leur regard doux et pacifique. En les observant mieux, il constata que ces individus ne manifestaient aucune agressivité, de la curiosité tout au plus.

Puis, l'un d'entre eux se détacha du groupe et s'adressa à Will :

— Mon nom est Gorgö. Je suis le suprême des Zörgs.

Tout étonné de comprendre ce dialecte inconnu, aux sonorités chuintantes, Will répondit :

— Je m'appelle Will et voici Markus.

— Que venez-vous faire ici, étrangers?

— Méfie-toi, Will! Je n'ai pas confiance en ces monstres des marais, chuchota Markus.

— Nous sommes à la recherche d'un ami qui a malencontreusement franchi le passage intemporel. Pouvez-vous nous aider à le retrouver?

— Malheur à celui qui franchit le passage! énonça le chef.

— Pourquoi? fit Will.

— Parce que ce voyage est sans retour. Vous et votre ami êtes désormais prisonniers de ce monde.

— S'il y a une entrée, il y a forcément une sortie! répliqua Will.

— En effet, il y a déjà eu une sortie, mais le passage fut scellé par les Mirgödes, après que cette issue eut provoqué une terrible catastrophe. Celle-ci occasionna de graves perturbations atmosphériques, qui se répercutèrent durant des lustres.

— Qui sont les Mirgödes? demanda Will.

— Ils habitent les terres du Veldüm. C'est le peuple le plus mystérieux et le plus puissant de notre monde. Mais longue et périlleuse est la route qui conduit jusqu'à eux.

— Pourquoi?

— À cause de la grande malédiction.

— Quelle malédiction? insista Will.

— Tu poses beaucoup de questions, étranger! Je veux bien te renseigner, mais n'oublie pas que tout ce que nous savons, nous le tenons de ceux qui sont passés par Zörgül. Parce que, comme tu peux le constater, nous sommes prisonniers de ces marais.

— Et que vous ont-ils raconté, ces voyageurs?

— Ils étaient terrorisés et disaient ne pouvoir s'arrêter à cause de la malédiction qui s'abattait sur leurs terres. Trop obnubilés par la peur et les atrocités dont ils avaient été témoins, la plupart d'entre eux n'arrivaient même plus, hélas! à s'exprimer correctement. C'est tout ce que nous savons, précisa Gorgö.

— Mais vous, vous ne fuyez pas? demanda Markus.

— Je vous le répète, nous ne pouvons quitter Zörgül. Notre survie dépend de ces marécages. Nous ne pouvons qu'espérer que les choses s'arrangent avant que la mort nous rejoigne.

— Quel triste sort! lança Markus, avec sympathie.

— Pouvez-vous nous dire quel chemin nous devons prendre pour atteindre le territoire des Mirgödes? s'enquit Will, tout à coup impatient de repartir.

— Tout ce que je peux affirmer, c'est que le refuge des Mirgödes est situé au-delà du mont Unük, ajouta Gorgö en indiquant la montagne aperçue plus tôt par Will.

Puis, après les brefs remerciements de Will et de Markus, Gorgö et ses frères replongèrent dans le cloaque pendant que les deux compagnons s'éloignaient dans la direction indiquée.

Cette fois encore, mon intuition ne m'a pas trompé.

5

Un curieux voyageur

Will et Markus marchèrent longtemps sur ces terres inconnues, riches en végétation de toutes sortes. De très jolies fleurs et de multiples arbustes qui offraient leurs fruits, à première vue plutôt appétissants, agrémentaient le paysage. Toutefois, par prudence, ils se gardèrent bien d'en manger.

Plus tard, après avoir traversé une région plus désertique, ils arrivèrent au pied du mont Unük. Épuisé et assoiffé, Markus demanda à faire une halte avant d'entreprendre l'ascension de la montagne. Il s'adossa alors à un rocher situé près d'un petit arbre fruitier pour profiter de son ombre pendant que Will partait à la recherche d'un sentier qui les mènerait au sommet.

À peine Will eut-il le temps de s'éloigner un peu qu'il entendit Markus l'appeler à l'aide. Il accourut aussitôt. En voyant le contour rougi de la bouche de son ami, il comprit que celui-ci venait de manger des fruits de l'arbuste. Le pauvre Koudish se tenait le ventre à deux mains en se tordant de douleur.

— Markus! Tu as goûté à ces fruits! s'exclama Will.

— J'avais si soif! se lamenta Markus.

Puis sous le regard hébété de Will, l'image de son compagnon se mit à disparaître et à réapparaître en une succession alternée.

— Aide-moi, Will! Aide-moi...

Puis le Koudish disparut définitivement. Affolé, Will se mit à appeler son ami à cor et à cri. Mais ce fut peine perdue.

Alors qu'il cherchait ce qu'il devait faire, un petit homme trapu au crâne dégarni passa près de lui sans même le voir. Les bras chargés de parchemins, celui-ci marmonnait des paroles incompréhensibles tout en marchant d'un pas rapide. À ses lunettes rondes en équilibre sur le bout de son nez et au crayon à l'extrémité passablement mâchouillée qui reposait sur son oreille, Will conclut qu'il s'agissait d'un érudit.

L'homme était suivi par une bête étrange chargée d'une quantité impressionnante de livres et de parchemins attachés sur son dos et à ses flancs. Affublé d'une tête bovine, l'aspect de cet animal bizarre, appelé Zébriüs, dont les rayures orange vif couraient en zigzaguant tout le long du corps, s'apparentait à celui d'un zèbre.

Will interpella le curieux personnage et se lança à ses trousses. Lorsqu'il le rejoignit, l'homme, qui semblait n'avoir rien entendu, sursauta.

— Pourriez-vous m'aider, monsieur? J'ai un grave problème.

Tout en accélérant l'allure, l'individu lui répondit :

— Laisse-moi. Je dois partir, vite, vite. Il faut se dépêcher! Nous devons tous fuir!

— Que fuyez-vous donc ainsi?

— Mais la grande malédiction, voyons! Tu n'es pas au courant? La cité d'Argöss est en proie à l'extermination. Des créatures maléfiques l'ont envahie et détruisent tout sur leur passage. Laisse-moi passer, répéta-t-il, anxieux.

La grande cité d'Argöss! Où ai-je entendu ce nom déjà? Je ne sais plus, mais pour l'instant, je dois retrouver Markus.

— Aidez-moi, je vous en prie! Mon compagnon vient de disparaître. Il faut absolument que je le retrouve! insista Will.

— Qu'est-il arrivé à ton ami? demanda le petit homme, impatient de repartir.

— Il a mangé des fruits de cet arbuste, là-bas.

— Malheur à lui! s'exclama le voyageur. Il a mangé les fruits de l'arbre aux maléfices. Il est à présent prisonnier de l'Antre des Maltïtes. Et tous ceux qui se retrouvent dans ce terrible endroit sont condamnés à y errer éternellement. À moins que…

— À moins que quoi? insista Will.

— À moins qu'un Mirgöde ne vienne à son secours ou te permette d'accéder à l'antre. Eux seuls savent comment ramener les imprudents de ces lieux de ténèbres. Mais il te faut oublier ça! Même si tu le voulais, tu ne pourrais pas les rejoindre. Leur refuge se situe au cœur du mont Körnu sur les terres du Veldüm. C'est à plusieurs jours de marche d'ici et, pour t'y rendre, il te faudrait traverser la grande cité d'Argöss. Crois-moi, c'est impossible!

— Pourquoi? insista Will en le retenant par le bras.

— Mais voyons! À cause du grand mal! Celui qui a envahi la cité d'Argöss, clama le vieil érudit, en tremblant de tous ses membres.

— La cité d'Argöss?

Décidément, ce nom me rappelle quelque chose.

— Oui, reprit l'homme. Un grand malheur frappe actuellement le royaume. Mais Arthélia, notre souveraine, est encore vivante. Il le faut, sinon le ciel se serait déjà obscurci pour annoncer la victoire des ténèbres sur la lumière.

— Vous avez dit Arthélia?

Mon Dieu! Je suis dans le monde de Gaël. C'est la déesse Aurora qui m'a parlé de la princesse Arthélia, celle qui était devenue reine du royaume d'Argöss.

Le voyageur le regarda, intrigué.

Puis, fouillant toujours dans sa mémoire, Will s'écria :

— Bien sûr! Ça me revient à présent. Aurora m'a aussi parlé d'une puissante sorcière du nom de Zôria qui aurait été enfermée sur l'île de roc.

— En effet! Mais qui es-tu, étranger? Et d'où tiens-tu ces renseignements?

— Je viens de le dire, c'est la déesse Aurora. Elle m'est apparue un jour et m'a révélé ces faits après la mort d'Arouk, en fait de Gaël. Celui-ci était au service de la princesse Arthélia.

— Tu as connu Gaël, le majordome de notre souveraine? Comment est-ce possible? Il est mort depuis trop longtemps!

— Alors qu'il vivait sous l'apparence d'un Taskoual, Gaël s'est retrouvé, tout comme moi, prisonnier d'un monde parallèle. Nous sommes rapidement devenus amis. Mais un jour, dans un geste héroïque, il a hélas donné sa vie pour sauver la mienne. Aujourd'hui, il est un pur esprit et sert la cause du Grand Esprit.

— Qui est le Grand Esprit?

— C'est le dieu créateur du monde parallèle. Markus, celui qui vient tout juste de disparaître, vient aussi de ce monde.

Le vieil érudit, qui ne semblait plus du tout pressé de partir, écoutait Will très attentivement. Puis, sans trop de façon, il essuya une larme du revers de la main et déclara :

— Gaël était aussi mon ami. J'ai travaillé avec lui au service de la reine mère. Je l'ai connu il y a bien longtemps alors que je n'étais encore qu'un apprenti architecte bouillonnant d'idées nouvelles. Ce vagabond aux longs cheveux blonds et à l'allure distinguée était arrivé un jour pour offrir ses services. Malgré son jeune âge, j'ai su tout de suite qu'il pourrait accomplir de grandes choses dans la vie. Je suis heureux de savoir qu'il est bien à présent.

— Dites-moi, quel est votre nom?

Après qu'ils se furent tous deux présentés, Will demanda à Dhövik :

— Quand la grande malédiction a-t-elle commencé?

Le petit homme évoqua les terribles événements qui avaient amorcé l'attaque du royaume d'Argöss.

☽ ☆ ☾

Les citoyens du royaume soupçonnaient la sorcière Zôria de continuer à leur jeter des sorts du fond de son cachot de l'île de roc. Bien qu'elle fût contre la peine de mort, la reine Arthélia avait cédé à la faveur populaire dans le but d'éviter un soulèvement général. Elle fit pendre Zôria haut et court.

Mais avant de succomber, la maléfique sorcière pactisa avec les forces des ténèbres. Elle vendit son âme en échange du retour à la vie d'Imgöla, le prince de l'armée de l'ombre qui était l'un des plus grands guerriers du mal ayant jamais foulé le sol d'Argöss. Zôria savait qu'elle attirerait ainsi sur la contrée une terrible malédiction capable de faire périr tous les habitants et, ainsi, venger sa mort.

Dès que la sorcière maudite se fut éteinte, d'étranges phénomènes se produisirent. Le sol trembla à plusieurs reprises, détruisant les habitations les plus fragiles. Après quoi, de monstrueuses créatures issues des plus affreux cauchemars surgirent de la forêt en pleine nuit. Conduites par Imgöla lui-même, elles envahirent rapidement la cité. En quelques heures à peine, l'armée de la princesse fut complètement anéantie. Les habitants qui tentèrent de se défendre furent tués les uns après les autres, tandis que les femmes, les enfants et les vieillards prirent la fuite.

La reine Arthélia, accompagnée de ses plus fidèles soldats, dut elle aussi se résigner à fuir son royaume. Avant de partir, elle confia à Dhövik la mission de convaincre les peuples des Maltïshs et des Norvëgs de venir en renfort défendre la cité d'Argöss. Ensuite, la souveraine quitta le château grâce au passage secret que Dhövik avait fait construire à cette fin. Une fois dans la forêt, Arthélia partit se réfugier dans les alpes maudites qui, soit dit en passant, sont truffées de pièges.

)) ☆ ((

— Maintenant, tu comprends pourquoi je suis si pressé. Je dois tenter de sauver notre souveraine et ce qu'il reste de ses sujets, ajouta le petit homme.

Puis il poursuivit :

— Mais avant de partir, laisse-moi te dire que les Mirgödes sont des êtres extrêmement dangereux.

— Mais je dois m'y rendre... Il n'est pas question d'abandonner mes amis!

— Tes amis! Parce que tu en as plus d'un à retrouver! Eh bien, jeune homme, sache que tu n'es pas sorti d'ici. Advenant le cas où tu réussirais à traverser le royaume, tu devras obligatoirement passer par la cité d'Argöss et emprunter le sentier des Argössiens qui se trouve derrière la ville. Après, il te faudra escalader le mont Kéridös. Une fois au sommet, tu devras redescendre par le versant opposé en suivant toujours le même sentier, prenant bien garde de ne jamais t'en éloigner, quoi qu'il arrive. À partir de là, il te faudra affronter le grand désert d'Oklär et ses nombreux dangers pour aboutir enfin chez les Mirgödes.

« C'est sur leurs terres que tu vivras la partie la plus difficile de ton périple. Il va te falloir éviter leurs pièges et là encore, méfie-toi! Les Mirgödes sont invisibles mais ils voient tout! Leur repaire se trouve au mont Körnu. Si, par miracle, tu y parviens, tu devras les convaincre de te laisser la vie sauve afin de pouvoir les approcher et discuter avec eux. Sois extrêmement prudent, Will. Adieu! »

Dhövik repartit aussitôt, laissant derrière lui un Will songeur.

— Merci! s'écria ce dernier.

L'homme répondit d'un geste de la main et, suivi de son étrange monture, il disparut au tournant du chemin.

Will, pour sa part, plus résolu que jamais à retrouver ses amis, prit la route de la cité d'Argöss.

6

Étranges visions

L'escalade du mont Unük fut laborieuse. Parvenu au sommet, Will fit une pause et contempla le merveilleux paysage. Au loin, il pouvait apercevoir l'éblouissante cité d'Argöss, là où Gaël avait vécu.

Que c'est beau!

Au milieu de la ville se dressait un magnifique palais au toit de cristal qui étincelait au soleil. Les habitations blanches, tout autour, le ceignaient telle une couronne éclatante.

En baissant les yeux, Will découvrit un hameau d'une dizaine de maisons dissimulé dans la forêt. Son estomac vide et la soif qui lui desséchait la gorge l'incitèrent à tenter sa chance auprès de ses habitants. Il s'engagea donc sans attendre dans la descente de l'autre versant en direction du petit village. En cours de route, il croisa quelques Taskouals qui prirent la fuite à son approche. Will éprouva un brin de nostalgie en se rappelant son ami Arouk.

Soudain, une voix rocailleuse l'interpella :

— Où crois-tu aller comme ça, étranger? Retourne d'où tu viens.

Will scruta les environs, mais ne vit personne. Puis en relevant la tête, il repéra une énorme corneille au plumage d'un noir d'encre, perchée sur une branche basse. Il lui répondit du tac au tac :

— Que veux-tu, corneille? J'irai où bon me semble. Ces terres ne t'appartiennent pas puisqu'elles sont la propriété de la reine Arthélia.

— Plus pour longtemps! Et toi, si tu t'entêtes à poursuivre ta route dans cette direction, tu vas mourir. Je t'aurai prévenu! lança l'affreux volatile.

D'un geste de la main, Will lui signifia son total désintérêt. Puis il tourna les talons et se remit en route.

À peine avait-il fait quelques pas que la corneille plongea droit sur lui en émettant un formidable croassement. Will se retourna à temps pour voir l'oiseau se transformer en plein vol. Le spectre lugubre qu'il était devenu se mit à graviter autour de lui. La texture vaporeuse de l'apparition se densifia progressivement jusqu'à devenir consistante. Une horrible mégère, à la bouche pleine de chicots, se tenait maintenant devant Will.

— Tu as osé défier la grande Zôria! Tu vas payer pour ton insolence, Will Ghündee! tempêta-t-elle.

Puis elle tendit le bras vers lui. Aussitôt une nuée de guêpes géantes jaillirent de la manche de la sorcière et vinrent s'abattre sur Will. Sans arme à sa disposition, ce dernier prit ses jambes à son cou. Mais dans sa hâte, il trébucha, dévala la pente et finit sa course contre un arbre. Sans perdre un instant, il ramassa une branche en se relevant et fit face à l'essaim meurtrier. Les attaques répétées des guêpes le contraignirent à reculer rapidement. Ce faisant, il perdit pied une seconde fois et du coup, son bâton lui échappa des mains.

Sur l'ordre de la sorcière dont le spectre était maintenant sur lui, c'est avec plus de violence encore que les guêpes tueuses se ruèrent sur Will. Celui-ci n'eut d'autre choix que de se rouler en boule pour se protéger et tenter de cacher son visage avec ses bras. Will sentit les dards acérés lui percer la peau et couvrir son corps de douloureuses piqûres.

Désespéré, il cria à l'aide :

— Gaël… Si tu m'entends, je t'en prie, aide-moi!

En voyant Will se tordre de douleur et appeler son ami à son secours, la sorcière eut un rire sarcastique.

— Oublie ce minable larbin. Il ne viendra pas! Je l'ai moi-même transformé en Taskoual, il y a bien longtemps déjà!

Puis elle se remit à rire. Mais son élan s'arrêta net dans sa gorge lorsqu'elle vit la pierre de Will se mettre à briller de tous ses feux. L'intense flux lumineux se rabattit sur les guêpes et les transforma instantanément en autant de magnifiques papillons jaunes et bleus. Ces derniers entourèrent Will de leur vol gracieux. Cette métamorphose mit la sorcière en furie. Elle cracha d'une voix haineuse :

— Foi de Zôria, tôt ou tard je t'aurai, Will Ghündee!

Puis elle disparut.

Alors que Will se tordait de douleur, quelques-uns des grands insectes vinrent se poser sur ses piqûres. Ils frottèrent ses plaies de leurs antennes, ce qui le soulagea rapidement et fit cicatriser ses blessures. Admiratif devant le ballet des papillons autour de lui et plein de reconnaissance, Will tendit les mains vers eux.

— Merci, mes amis!

Les colorés lépidoptères se regroupèrent alors et formèrent une silhouette humaine. Will regardait avec fascination ce spectacle étonnant. La pierre, qui était à présent presque éteinte, scintilla faiblement et la mystérieuse forme se précisa graduellement. Comme par magie, un visage nimbé d'une douce lumière apparut à Will.

— Gaël! C'est bien toi? s'exclama Will.

— Will, mon ami! Je suis si heureux de te retrouver!

— Merci d'être venu à mon secours. Sans toi, j'étais perdu! Je vais finir par croire que tu es mon protecteur céleste.

— Tu n'es peut-être pas si loin de la vérité… Alors, te voilà de nouveau pris dans la tourmente! Décidément, tu ne peux pas t'empêcher de secourir les autres!

— Mais, Gaël, si tu voyais la tristesse de la famille de Jawäd. Et puis, il y a Markus qui a disparu lui aussi. Selon Dhövik, il serait prisonnier de l'Antre des Maltïtes.

— Ah, ce cher Dhövik!... Will, garde la foi, mon ami. Cette mission est encore plus périlleuse que la précédente. Conserve toujours l'image de la suprématie du bien sur le mal et aie confiance en ton intuition. Surtout, n'hésite pas à te servir de la force dont le Grand Esprit t'a investi! Maintenant, je dois te quitter. Mais rappelle-toi : le mal restera toujours le mal quelle que soit la forme qu'il revêt… conclut Gaël avant de disparaître.

— Attends, Gaël! Quelle est cette force dont le Grand Esprit m'a investi? s'écria Will.

Hélas! la silhouette de Gaël s'était déjà estompée. Toutefois, tel un souffle de brise qui passe, un murmure courut au loin :

— Tu le découvriras quand le temps sera venuuu…

— Gaël? Gaël?

Mais seul le silence répondit à ses appels.

Will repartit en direction du village.

☽ ☆ ☾

80

Le reste du chemin s'étant effectué sans encombre, Will découvrit enfin le hameau, blotti derrière un bosquet touffu. Il s'y aventura précautionneusement, l'oreille aux aguets.

Une quinzaine de maisons, toutes de bois ou de pierres naturelles, étaient disposées autour d'une grande place où trônait un puits. Après avoir frappé à quelques portes, Will comprit que le village était complètement désert.

Il revint donc vers le puits et tira sur la corde pour remonter le seau. Comme il s'apprêtait à y boire, Will vit sur l'eau le reflet de plusieurs images successives. Abasourdi, il se frotta les yeux et se détourna de ce qu'il croyait être une hallucination. Lorsqu'il replongea son regard dans l'eau, il y vit des villageois terrorisés qui couraient dans tous les sens, pourchassés par d'effrayantes créatures mi-hommes, mi-bêtes. Une tête de sanglier surmontait leur corps massif recouvert de fourrure brune aux reflets noirs.

Will eut un geste de recul et le seau retomba au fond du puits. Curieux de connaître la suite des événements, il le remonta et y regarda de nouveau. Cette fois, un très beau visage de femme, aux longs cheveux bruns bouclés et aux yeux vert vif, apparut. Elle semblait très inquiète. Soudain, sa bouche s'ouvrit sur un cri, alors que les soldats qui tentaient de la protéger étaient massacrés par les hommes-sangliers.

Elle assistait, impuissante, à ce drame. Will vit ensuite la jeune femme fuir à l'extérieur d'une grotte et courir à flanc de montagne, accompagnée de deux soldats. Puis l'image disparut.

Quelques secondes plus tard, les visages déformés de Markus et de Jawäd qui appelaient à l'aide apparurent à leur tour. Par réflexe, Will saisit le seau et y plongea la main, pour sauver ses amis en proie à la terreur. La vision s'effaça brusquement, n'offrant à Will que son propre reflet miroitant à la surface de l'eau. Ébranlé, il se laissa choir sur le bord de la margelle. Ces images bouleversantes resteraient gravées à jamais dans sa mémoire.

Les gens de ce hameau se sont fait massacrer par des monstres. La belle dame que j'ai vue ne peut être que la reine Arthélia. Elle aussi est pourchassée par ces créatures immondes. Nul doute qu'elle est en danger de mort. Et mes amis, où sont-ils maintenant? Je dois les retrouver avant qu'il ne soit trop tard. Mais par où commencer? Et comment se fait-il que j'aie eu accès à ces images?

Will hésita un peu avant de boire longuement à même le seau. Puis, épuisé par les derniers événements, il s'allongea par terre et se laissa emporter par le sommeil.

7

Homme ou animal

Au bout de quelques heures d'un sommeil de plomb, Will se remit sur pied et reprit aussitôt la direction de la cité d'Argöss. Il s'engagea dans la forêt, s'assurant ainsi de ne pas être à découvert. Il perçut bientôt de curieux craquements. Les bruits de pas venaient dans sa direction. Par prudence, il se dissimula derrière un gros rocher, puis attendit. Une courte silhouette humaine apparut entre les arbres. Un petit être vêtu de haillons avançait en clopinant. Will fut frappé par sa repoussante laideur. Cette créature au visage ravagé avait un corps de garçonnet. Curieusement, seuls sa main droite et son pied gauche étaient poilus et pourvus de longues griffes noires.

Le petit personnage s'arrêta soudainement comme s'il avait détecté une présence. Mais son attention fut vite détournée vers le sentier, derrière lui. Will entendit alors d'autres bruits de pas qui se rapprochaient. Quatre hommes-sangliers surgirent de la forêt et encadrèrent aussitôt le pauvre éclopé. Étonnamment, celui-ci ne tenta pas de s'enfuir. Les monstres le projetèrent violemment au sol et se mirent à le rouer de coups, mais le petit être ne fit aucun geste pour tenter de se défendre. Devant cette sauvage agression, Will ne put se retenir. Il bondit hors de sa cachette et, furieux, il s'écria :

— Bande de lâches! Prenez-vous-en donc à quelqu'un de votre taille, au lieu de vous attaquer aux enfants sans défense!

Dès que les hommes-sangliers l'aperçurent, ils délaissèrent leur maigre proie et se précipitèrent dans sa direction. Le sang de Will ne fit qu'un tour. Sentant une énergie nouvelle l'envahir, il souleva un énorme rocher au-dessus de sa tête et, d'une force quasi surhumaine, il le lança vers ses assaillants. Le bloc de pierre vint frapper l'un d'entre eux et le projeta au sol, lui fracassant le bassin. Surpris, ses congénères reculèrent de quelques pas. Mais en constatant que Will était seul et désarmé, ils se ruèrent de nouveau vers lui.

Pris de court, Will partit en courant pour éloigner au plus vite les bêtes de l'enfant. Les monstres à ses trousses, il se retourna pour juger de la distance qui le séparait de ses poursuivants. Mais il se retrouva bientôt le pied coincé dans un réseau de racines qui s'entrecroisaient au ras du sol et il tomba lourdement, face contre terre. Quand ils le virent immobilisé, les hommes-sangliers s'approchèrent lentement de l'endroit où Will gisait en débattant entre eux le privilège de venger leur compagnon.

L'un d'eux alla chercher une grosse pierre. Will, qui essayait désespérément de dégager son pied, crut qu'il était voué à une mort certaine. Soudain, il vit arriver le jeune garçon derrière ses assaillants. Celui-ci le fixait intensément avec une étrange lueur rougeâtre dans le regard, puis il poussa un faible rugissement. Touché par son courage, Will s'écria :

— Va-t'en petit! Fuis, pendant qu'il en est encore temps!

Mais l'enfant, immobile, continua de rugir comme le ferait un lionceau. Les monstres considéraient de toute leur hauteur le petit bonhomme qui osait les affronter. Tout à coup, son cri s'amplifia et ses yeux virèrent au rouge vif. Deux hommes-sangliers se dirigèrent vers lui, tandis que l'autre continuait vers Will, sa grosse pierre toujours au-dessus de la tête.

— Sers-toi de ta force! s'écria Will spontanément.

L'enfant poussa alors un terrible grondement et, en une fraction de seconde, se transmua en un redoutable lion préhistorique aux crocs proéminents. D'un saut phénoménal, l'animal bondit et atterrit sur l'agresseur qui menaçait Will. Un furieux combat s'engagea.

Profitant de ce répit inespéré, Will parvint enfin à se libérer des racines. Il ramassa une branche et s'en servit comme gourdin pour frapper le monstre qui attaquait le fauve par-derrière. Il lui fracassa son bâton sur le dos avant de l'achever avec une pierre.

Durant ce temps, le lion avait réussi à terrasser son adversaire et à faire fuir le dernier homme-sanglier en lui infligeant de profondes blessures.

Après ce dur affrontement, Will se retrouva enfin seul avec le félin qui, à sa grande surprise, rugissait encore en se préparant à bondir. Les bras en l'air, Will déclara :

— Je suis ton ami. Je ne te veux aucun mal!

La bête hésita, puis ferma la gueule et cessa de rugir. Elle resta un moment immobile, puis, soudain, un éclair lumineux passa dans ses yeux et, instantanément, la créature reprit son apparence d'enfant. Will lui demanda :

— Comment t'appelles-tu?

— Je m'appelle Kündo! Et toi, valeureux guerrier, qui es-tu?

— Je suis Will Ghündee. Je me dirigeais vers les terres du Veldüm lorsque j'ai vu ces monstres t'attaquer.

— Les terres du Veldüm? Mais tu ne pourras pas t'y rendre! Pas avec le grand mal qui ronge le royaume d'Argöss.

— Je vais quand même tenter le coup. Je dois retrouver mes amis disparus. Mais d'abord, dis-moi Kündo, pourquoi n'as-tu pas essayé de te défendre lorsque les hommes-sangliers t'ont attaqué dans la forêt puisque tu en as le pouvoir? Aussi, j'aimerais savoir comment un petit garçon a fait pour revêtir une si étrange apparence?

— Tout a commencé alors que j'avais neuf ans. Zôria m'a enlevé après avoir massacré mes parents. J'ai été retenu captif pendant trois longues années durant lesquelles elle m'a fait subir une foule d'expériences toutes plus horribles les unes que les autres. La dernière fois, elle a tenté de me transformer en lion pour que je puisse l'aider à capturer la princesse Arthélia.

— La princesse Arthélia? Mais n'est-elle pas la reine d'Argöss?

— Oui, mais pour ceux qui, comme moi, l'ont connue et aimée lorsqu'elle était princesse, elle est encore « notre princesse ». Car même si elle est devenue reine, elle est toujours aussi simple et naturelle avec ses sujets.

— Ce doit certainement être une souveraine bien spéciale pour susciter autant d'attachement chez ses sujets?

— Effectivement, répondit le jeune garçon.

Après un moment, il reprit :

— Quand la sorcière prit conscience que je n'étais pas un bon sujet d'expériences, elle se désintéressa de moi. J'en profitai pour m'enfuir. Depuis, prisonnier de cette répugnante apparence, j'erre dans les bois. Tu veux savoir pourquoi je ne me suis pas défendu tout à l'heure? Eh bien, parce que je n'en avais tout simplement pas envie. Puis lorsque j'ai vu que tu risquais ta vie pour sauver la mienne, j'ai eu un tressaillement, là, dans la poitrine. Pour la première fois depuis longtemps, j'ai senti mon cœur battre. Cela m'a donné du courage et à mon tour, je suis accouru pour te venir en aide. Mais ensuite, je ne me souviens plus de rien.

— Cette sorcière maléfique! Si je le pouvais, je la ferais disparaître à jamais! Elle me rappelle un être malsain que j'ai connu il n'y a pas si longtemps, grogna Will.

— Puisque je n'ai plus rien à perdre et que je ne sais que faire de ma vie, pourrais-je t'accompagner?

— Tu es sûr de vouloir venir chercher mes amis avec moi? Tu m'as dit toi-même que c'était très dangereux! poursuivit Will.

— Je sais, mais si je peux t'être utile à quoi que ce soit, même en courant le risque d'y laisser ma peau, j'aurai au moins l'impression d'avoir accompli quelque chose de bien.

— Je suis convaincu que si tu décides de combattre à mes côtés pour une juste cause, le Grand Esprit, qui m'est témoin, te protégera. De plus, j'ai l'étrange sentiment que la force obscure dont la sorcière t'a doté, bien malgré elle, te sera utile. Il faut garder la foi, Kündo.

L'enfant fut soudain envahi par un sentiment nouveau qui emplit son cœur de joie et de reconnaissance. Son regard s'éclaira et redevint celui d'un petit garçon heureux et confiant en l'avenir.

— Tu es vraiment différent des autres, toi! Pas une seconde je n'ai senti que tu éprouvais de la répugnance ou du dédain à l'égard de mon apparence. D'où viens-tu, Will?

Will raconta son aventure à son nouveau compagnon de voyage et la raison de sa venue sur ces terres, son but, etc.

— Et tu crois pouvoir retrouver tes amis avec la grande tourmente qui sévit actuellement?

— Je l'ignore, mais je dois tenter le coup. Comme j'espère atteindre le refuge des Mirgödes avant qu'il ne soit trop tard, il faut que je reparte immédiatement! Alors si tu souhaites toujours m'accompagner, en route! lança Will tout en reprenant le chemin de la cité d'Argöss.

☽ ☆ ☾

Kündo, qui peinait de plus en plus derrière Will, ne put s'empêcher de dire :

— Dis-moi Will, tu n'étais pas sérieux quand tu m'as dit que tu voulais aller sur les terres des Mirgödes, n'est-ce pas? Ce sont des êtres très dangereux, tu sais?

— On me l'a dit! Mais ai-je le choix? répondit Will en pressant le pas.

— S'il te plaît, Will, ralentis! Je n'arrive pas à te suivre!

— Désolé, mais je ne peux pas m'attarder, il en va de la vie de mes amis, dit Will qui ralentit tout de même un peu la cadence.

Les marcheurs empruntèrent bientôt la route qui passait à travers une luxuriante terre boisée que Kündo appela la forêt Verte.

Alors que Will se demandait comment il allait s'y prendre pour traverser la cité infestée de créatures maléfiques, lui et Kündo croisèrent des habitants du royaume qui fuyaient les envahisseurs et leur crièrent d'éviter ces lieux maudits.

— Will, je te trouve bien courageux d'aller droit vers cet enfer pour sauver tes amis! Ils doivent beaucoup compter pour toi?

— Tu vois Kündo, je crois que le destin place les amis sur notre route pour nous enseigner différentes façons d'aimer et pour nous apprendre à nous dépasser. Mais quels que soient le caractère ou l'apparence d'un ami, il restera toujours ton ami. Et moi, lorsqu'un danger menace l'un d'eux, je ne peux rester sans rien faire, termina Will.

— Qu'est-ce que j'aimerais être ton ami! s'exclama spontanément Kündo.

Will esquissa alors un sourire et répondit gentiment :

— Mais tu l'es déjà, Kündo! Tu l'as été dès le moment où je suis intervenu auprès des hommes-sangliers.

— Merci, Will! Tu es le premier qui me propose son amitié depuis que j'ai cette apparence. Je m'efforcerai de m'en montrer digne.

☽ ☆ ☾

Les deux compagnons repérèrent bientôt les premiers signes de civilisation. Des maisons parsemaient les champs entourant la cité, qui trônait au cœur de l'immense contrée verdoyante. On pouvait apercevoir les pignons de cristal du palais de la reine Arthélia.

Kündo chuchota :

— Soyons prudents! Je ne voudrais pas servir de repas à quelque monstre!

— Il faut trouver un moyen de traverser la ville si nous voulons atteindre le sentier des Argössiens, dit Will.

Puis tous deux s'engagèrent dans le sous-bois qui ceinture la cité.

En route, une horde d'une trentaine de créatures sorties tout droit des profondeurs des ténèbres passa près d'eux, sans les voir.

— Ces monstres, murmura Kündo, détruisent tout sur leur passage, brûlent les maisons et massacrent ceux qui ont le malheur de se trouver sur leur chemin.

Cette brigade d'hommes-sangliers comptait aussi dans ses rangs d'autres bêtes plus horribles encore, comme les hommes-reptiles à tête de serpent. La peau de leur corps était recouverte d'écailles luisantes. Des hommes-insectes, dont le haut du corps ressemblait à un cafard géant, fermaient le cortège.

Will et Kündo poursuivirent leur chemin et furent rapidement en vue des portes de la cité. Celles-ci étaient étroitement surveillées par de répugnantes créatures du même acabit que celles qu'ils avaient croisées plus tôt. Les deux compagnons décidèrent de rester à l'abri dans la forêt jusqu'à la tombée de la nuit.

— Je connais un endroit sûr où nous pourrons nous cacher, dit Kündo.

— Passe devant, je te suis.

Kündo conduisit Will dans une partie de la forêt où un amas d'arbres morts étaient enchevêtrés, formant un abri de fortune tout à fait convenable. Ils s'y engouffrèrent.

Quand ils furent installés, Will tâta le fond de sa poche à la recherche d'un morceau de pain Koudish. Il n'en trouva, hélas! qu'un tout petit bout. Il surprit alors le regard de Kündo qui dévorait la nourriture des yeux. Will, qui n'avait rien mangé depuis le matin, resta un moment perplexe. Il décida finalement de l'offrir à son ami.

Alors que Will tendait le morceau à Kündo, une chose surprenante se produisit. La petite parcelle de pain qu'il tenait à la main se transforma tout à coup en une miche, de la même façon que cela s'était produit la veille avec Markus. Étonné par ce qu'il venait de voir, Kündo fit deux pas en arrière :

— Mais comment... Serais-tu sorcier, toi aussi? lança-t-il, en montrant du doigt la lueur rouge qui venait d'apparaître sur la poitrine de Will.

Ce dernier regarda son torse et fut tout aussi surpris que son compagnon quand il s'aperçut que l'étrange phénomène n'émanait pas de sa pierre, mais bien de son propre corps. Il eut soudain une révélation et murmura pour lui-même :

— Je comprends à présent de quelle force voulait parler Gaël. Les visions que j'ai eues dans l'eau du puits, ma force qui a décuplé, mes divers talents à la forge et ce qui vient de se produire à l'instant... Tout cela provient du don précieux que m'a fait le Grand Esprit.

— Qu'est-ce que tu marmonnes? demanda Kündo.

— Oh! Rien d'important.

— Tu es vraiment mystérieux, toi! lâcha Kündo en imitant Will qui se régalait déjà du pain Koudish.

— Ne t'inquiète pas, Kündo, je ne suis pas un sorcier. Tu n'as rien à craindre! Un jour peut-être, je t'expliquerai... Maintenant, tâche de te reposer un peu. Je monte la garde.

Le jeune garçon s'allongea. Will se réfugia dans ses pensées.

8

Une aide inespérée

L'aube allait poindre lorsque Will secoua son ami qui dormait encore paisiblement.

— Kündo, debout! Il faut partir!

Tous deux quittèrent prestement leur abri et dirigèrent leurs pas vers la cité d'Argöss. Kündo, qui connaissait mieux les lieux, prit les devants. En route, Will remarqua une chose étonnante dans le ciel : il y avait trois lunes.

— Kündo, est-ce normal que ces croissants de lune soient inversés les uns par rapport aux autres ou est-ce un mauvais présage? demanda Will.

Bien que surpris de sa question, Kündo le rassura :

— C'est normal. Notre ciel a toujours été ainsi.

Will ne dit rien, mais ses yeux restèrent fixés au ciel un bon moment.

Quand les marcheurs furent arrivés aux abords de la cité, Will et Kündo prirent soin de se dissimuler pour éviter d'être vus par les nombreuses créatures qui montaient la garde devant les grandes portes qui y donnaient accès, tandis que d'autres monstres allaient et venaient, occupés à d'obscures besognes.

À ce moment, un léger bruit derrière eux les fit se retourner. Étonnés, ils découvrirent un Taskoual qui grignotait calmement des herbes sauvages tout en les observant.

Ses grands yeux, qui brillaient dans la pénombre, ajoutaient un aspect mystérieux à la scène. Puis, comme si la situation était tout à fait naturelle, le Taskoual se mit à parler :

— Que faites-vous ici, les amis? Ignorez-vous que c'est dangereux de traîner dans les parages?

— Et toi, que fais-tu là? Tu nous espionnes pour le compte de la sorcière? s'exclama Will, encore sous l'effet de la surprise.

— Zôria! Cette vieille chipie! Jamais je ne travaillerai pour elle! se défendit-il avec vigueur.

Puis le Taskoual se transforma en homme miniature. Ce personnage, plus petit qu'un Koudish, étonnait par son physique étrange et ses cheveux en bataille. Ses oreilles fines n'avaient pas de lobes; quant à son nez, on aurait dit une pomme de terre qu'on aurait plantée au milieu de son visage. Ses vêtements modestes étaient semblables à ceux des paysans que Will et Kündo avaient croisés la veille. Il portait une chemise blanche, une veste sans manche et des culottes brunes. Ses bottillons de cuir noir s'ornaient d'un symbole représentant, de chaque côté de la chaussure, une étoile scindée en deux avec, au milieu, un œil en pierre précieuse qui reflétait le moindre éclat lumineux.

Will voulut en savoir davantage sur ce curieux individu.

— Quelle sorte de créature es-tu donc?

— Vous me voyez actuellement sous mon apparence réelle. Je suis un Irbit et je m'appelle Smhöll.

— Will, qu'est-ce qu'un Irbit? demanda Kündo.

— Je crois que c'est une sorte de farfadet ou de magicien, lui répondit Will.

— Un farfadet! répliqua le petit bonhomme, offusqué. Je ne suis pas un farfadet, je suis un Irbit!

— Calme-toi, l'Irbit! Tu vas nous faire repérer! riposta Kündo qui ne semblait pas tellement apprécier le nouveau venu.

Will, quant à lui, joua la carte de la ruse :

— Dis-moi, Smhöll, connais-tu bien la cité?

— J'en connais les moindres recoins. J'y entre et j'en sors comme je veux! rétorqua fièrement l'Irbit.

— Alors, tu pourrais nous aider à y pénétrer sans être vus? interrogea Will.

— Méfie-toi, Will. Nous ignorons tout de lui, chuchota Kündo.

— As-tu une solution qui nous permettrait de franchir ces murs? lui répondit Will d'une voix à peine audible.

— Non...

— Alors, nous devons saisir cette chance.

— Eh là, qu'est-ce que vous complotez tous les deux? maugréa l'Irbit, contrarié.

— Smhöll, tu saurais vraiment nous conduire à l'intérieur de ces murs, malgré toutes ces créatures qui en gardent l'accès?

— Je suppose que oui! Mais, qu'est-ce que j'y gagne, moi? demanda-t-il, maintenant méfiant, lui aussi.

— Que voudrais-tu?

— Euh! Je ne sais pas. J'ai déjà tout ce qu'il me faut, sauf, peut-être, la gloire.

— La gloire! Pourquoi, la gloire? fit Will.

— Tout le monde nous craint, nous les Irbits, et nous prête injustement des mauvaises intentions. Je crois que ce serait une bonne occasion de redorer notre blason.

— Tu vois, Kündo, cet Irbit n'est pas un mauvais bougre!

— Ouais... fit Kündo, à demi convaincu.

— Aide-nous à entrer dans cette forteresse et je ferai savoir à tous que c'est grâce au grand et courageux Smhöll que nous avons pu libérer la cité d'Argöss! déclara Will.

— Continue, tu m'intéresses, lança l'Irbit.

— Dès que nous serons dans la cité, nous anéantirons les envahisseurs et quand cela sera fait, nous remettrons la ville aux mains de la souveraine. Je suis convaincu que lorsque je lui annoncerai que nous aurions difficilement pu sauver son peuple sans ton aide, elle ne refusera pas de reconnaître publiquement ton geste héroïque. Qu'en dis-tu?

— L'idée me plaît. Smhöll, le grand héros! évoqua l'Irbit en bombant le torse. J'accepte de vous aider! Mais avant, j'aimerais savoir qui vous êtes et comment vous ferez pour vaincre tous ces monstres.

— Je me nomme Will l'enchanteur et voici mon assistant Kündo. Nous sommes de grands magiciens en mission secrète pour le compte de la princesse. Cependant pour que notre magie opère, nous devons être au cœur même de l'action. De là, nous pourrons attaquer leur chef en premier et neutraliser ses pouvoirs!

— Eh bien, c'est d'accord! acquiesça l'Irbit, quelque peu étourdi par tous ces boniments. Suivez-moi! Je vais vous montrer un passage souterrain que seuls la princesse Arthélia et ses proches connaissent.

Accompagné de Will et de Kündo, l'Irbit entreprit de contourner la cité pour gagner le passage situé dans une partie plus accidentée de la forêt. Après quelques minutes de marche, Smhöll se transforma en une espèce de zèbre, comme celui qui servait de monture à Dhövik. Puis, devant les yeux ébahis des deux autres, il expliqua :

— C'est pour ménager mes petites jambes!

Finalement, ils arrivèrent à proximité d'un monticule rocheux. Smhöll s'arrêta et reprit son apparence d'Irbit. Puis, montrant du doigt un gros rocher, il annonça :

— Voici l'entrée!

Et il se métamorphosa en mulot avant de se faufiler rapidement derrière le bloc de pierre. Il en ressortit quelques instants plus tard et, en un clin d'œil, il redevint Irbit :

— Ça va, le passage est libre. Toutefois, il va falloir en dégager l'entrée. En êtes-vous capables?

Will regarda l'énorme roc. Il devait trouver la force nécessaire pour le déplacer s'il voulait réussir à sauver Markus et Jawäd. Il s'approcha et prit le mastodonte à bras le corps, mais hélas, malgré ses efforts, il réussit à peine à le faire bouger. Kündo se précipita pour donner un coup de main à Will qui continuait de forcer. Ce dernier y mettait tant d'énergie que les veines de son cou donnaient l'impression de vouloir jaillir. Touché par son courage, Smhöll décida d'aider Will, lui aussi. Il se servit donc de sa magie pour faire grandir l'Irbit qu'il était jusqu'à ce qu'il atteigne plus de deux mètres de haut. Il se mit ensuite à pousser avec les autres.

L'ouverture fut finalement dégagée.

Comme Smhöll retrouvait sa taille normale, Will épongea la sueur qui ruisselait dans son cou et s'adressa à ses compagnons :

— Merci! Sans votre aide, je n'y serais jamais arrivé.

— C'est peu de chose, fit Smhöll. Les amis c'est fait pour ça, non?

Dès qu'ils eurent récupéré un peu, tous trois s'engagèrent dans le couloir souterrain.

La faible lueur qui provenait de l'autre extrémité du passage facilita leur progression entre les murs suintants d'humidité. Au bout du corridor, un escalier taillé dans le roc qu'ils descendirent, les mena jusqu'à une galerie, abondamment éclairée par des torches, où étaient entreposés des barils et des caisses de bois.

Smhöll, suivi de Will et de Kündo, se dirigeait de l'autre côté, vers un deuxième escalier, symétrique au premier, lorsque des insectes géants, surgis d'on ne sait où, s'avancèrent vers eux, menaçants.

— Ce sont les créatures de la sorcière! s'écria l'Irbit, terrifié. Mais comment Zôria peut-elle connaître l'existence de ce passage?

Puis sans attendre, il se transforma en pigeon et s'envola vers les hauteurs, à l'abri du danger. Will et Kündo se retrouvèrent seuls aux prises avec les monstres.

Mais qu'est-ce encore que ces immondes bêtes?

Les gigantesques scarabées faisaient claquer leurs grosses pinces aussi tranchantes que des cisailles. Pris au piège, Will et Kündo reculèrent contre la paroi la plus éloignée de la grotte. Kündo se mit à trembler de tous ses membres alors qu'un des scarabées se lançait sur Will. Ce dernier fit un bond de côté et les énormes pinces claquèrent dans le vide, manquant ses jambes de justesse. À la vue du danger que courait son ami, le mécanisme de défense de Kündo s'activa. Investi de sa nouvelle force, le lion qu'il devint bondit par-dessus les insectes. Il réussit ainsi à détourner l'attention de plusieurs d'entre eux, mais hélas, d'autres se joignirent à l'attaquant de Will qui le menaçait toujours de ses horribles cisailles. Malgré sa peur, ce dernier restait relativement calme et cherchait une solution.

Je dois absolument trouver une arme!

Appuyant ses mains contre la paroi, Will s'aperçut que celle-ci était friable. Tout en faisant face à ses adversaires, il s'activa à déchausser des pierres en relief sur le mur. Dès qu'il en eut récupéré quelques-unes, il les lança de toutes ses forces sur les insectes. Mais les lourds projectiles se fracassèrent comme du verre sur la carapace luisante de ses assaillants apparemment invulnérables. Will se sentait impuissant. À cet instant, il aurait tant voulu que son pendentif se mette à briller et lui procure la protection dont il avait besoin...

9

Un revirement inattendu

Ce n'était plus qu'une question de temps avant que Will ne se fasse broyer les jambes. C'est alors que, plongeant vers lui, le pigeon se transforma en mammouth avant de toucher le sol. Ayant bien calculé son coup, l'animal écrasa plusieurs répugnantes bestioles. Ensuite, le grand mammifère transperça, de ses longues défenses, les scarabées géants qui se trouvaient à sa portée. Se servant de sa trompe comme d'un fouet, il projeta violemment les derniers survivants contre les murs où ils allèrent s'aplatir comme de vulgaires punaises.

Enfin, le mastodonte se dirigea vers le fond de la grotte et combattit aux côtés du lion.

Après l'élimination de tous les insectes, le mammouth et le lion se retrouvèrent seuls face à face. Le premier poussa alors un barrissement retentissant, tandis que l'autre rugit avec force. Will comprit que leur instinct combatif avait atteint son paroxysme. Alors qu'ils étaient sur le point de s'engager dans une lutte fratricide, Will s'interposa :

— Nooon... Arrêtez! De grâce, reprenez vos esprits! Vous êtes dans le même camp.

Mais, les deux protagonistes n'avaient pas l'air de comprendre son langage. Dans son élan pour atteindre le lion, le pachyderme projeta Will au sol. Cela déclencha instantanément une vive réaction de la part du grand félidé et les deux bêtes entamèrent un furieux combat sous l'œil terrifié de Will.

Le lion bondit à quelques reprises vers le mammouth, mais celui-ci l'esquiva chaque fois. À la dernière tentative, le pachyderme lui asséna un formidable coup de trompe qui le projeta violemment contre la paroi rocheuse. Will se précipita. Pour aider Kündo, il se planta devant le mammouth, qui stoppa aussitôt son élan et poussa un terrifiant barrissement. Will lui cria :

— Smhöll, ressaisis-toi!

L'éléphant se calma enfin. Il fixa Will d'un air étonné, avant de redevenir un Irbit.

Presque en même temps, Kündo reprit lui aussi son apparence normale.

Will poussa un soupir de soulagement :

— Tu m'as fais peur, Smhöll!

— De quoi parles-tu? Qu'est-il arrivé? Eh! regarde ton ami. Il a l'air salement amoché.

Will n'insista pas et alla s'occuper de Kündo. Ce dernier avait au front une large entaille qui saignait abondamment. Will épongea le sang avec son mouchoir.

Quand Kündo fut remis, ils continuèrent leur avancée dans le passage et gravirent l'escalier menant au second corridor. Plus étroit que le premier, celui-ci était éclairé par de curieux vers luisants, pourvus d'antennes blanches, qui recouvraient une partie du plafond.

Après une longue marche, Will et ses compagnons se retrouvèrent face à un mur qui n'offrait aucune issue apparente. L'Irbit examina la paroi et, à la grande surprise des deux autres, se plaqua avec force contre elle. Son corps s'aplatit, jusqu'à se fondre dans la texture du mur, puis il disparut complètement. Un instant après, tout un pan de la cloison glissa avec bruit, créant ainsi une large ouverture. Smhöll, qui se trouvait maintenant de l'autre côté du mur, faisait de grands signes à ses compagnons pour qu'ils viennent le rejoindre. Quand tous eurent traversé, l'énorme porte se referma bruyamment. En voyant l'inquiétude se peindre sur le visage de ses compagnons, Smhöll s'empressa de les rassurer :

— À présent nous y sommes presque. Venez!

Plus loin, ils se retrouvèrent devant une paroi en bois recouverte de poussière de roche. Smhöll fit pivoter la cloison, découvrant de somptueux appartements.

— Nous voici dans le palais royal. C'est dans cette salle que la princesse Arthélia reçoit les souverains des peuples amis, précisa-t-il.

— Que c'est beau! s'émerveilla Kündo.

Will fut impressionné par l'architecture de cette immense pièce d'un ovale parfait. La construction faite de différentes essences de bois rare était agrémentée de pierres habilement sculptées. Le plafond cathédrale avait été construit avec des morceaux de pur cristal qui laissaient voir le ciel. Au centre, trônait une table de marbre au dessus de verre. Ce meuble imposant était de même forme que la pièce. Au milieu émergeait une colonne de cristal qui s'élevait jusqu'au-delà du toit.

Cet ornement doit être un hommage aux souverains invités à siéger à cette table.

Curieusement, une ouverture sur le côté de la table permettait d'avoir accès à la colonne où pulsait un flux lumineux très doux duquel provenait un faible bourdonnement. De splendides peintures ornaient les murs. Chaque tableau affichait le buste d'un souverain ayant régné sur l'un des sept royaumes de ce monde. Les portraits étaient entourés d'une carte topographique de tout le continent, disposée de façon que le territoire respectif de chacun apparaisse à côté de son visage. Kündo, qui déambulait dans la pièce, lâcha un cri de surprise. Il avait cru voir bouger un des portraits. Will s'approcha pour regarder le tableau de plus près. C'est alors que le visage peint s'anima. Semblant accablé par la douleur, il déclara :

— Étrangers, la reine Arthélia est en danger. Vous devez la sauver.

Puis simultanément tous les portraits s'animèrent et clamèrent d'une même voix :

— Sauvez la princesse!

Après quoi, ils reprirent la pose. Un lourd silence planait maintenant dans la pièce.

— Il faut faire quelque chose pour elle! chuchota Kündo à l'oreille de Will.

— C'est bien triste, murmura Will. Mais que pouvons-nous contre toute une armée de créatures maléfiques? Nous n'avons même pas d'arme. Et puis, tu oublies pourquoi je suis ici, Kündo?

— Pour retrouver tes amis. Je sais, mais…

— Tentons d'abord de traverser la cité et après nous verrons, coupa Will à voix basse.

— Regarde ton bijou. Il scintille au même rythme que l'étrange colonne de lumière, s'étonna Kündo.

— Il doit se trouver ici un courant d'amour et de sagesse pour que la pierre de la déesse Aurora se mette à briller ainsi.

— Fais voir, réclama Smhöll, qui jusque-là était resté silencieux.

L'Irbit s'approcha de Will pour examiner son pendentif de plus près. Mais lorsqu'il toucha le précieux caillou, il se brûla cruellement les doigts.

— Cette pierre est vraiment dangereuse. Tu devrais t'en débarrasser avant de blesser quelqu'un! s'écria l'Irbit sur un ton grognon.

Cela fit sourire Kündo.

— Désolé, Smhöll, s'excusa Will. C'est la pre-mière fois que cela arrive.

Puis il se tourna vers Kündo :

— Essaie de la toucher, pour voir.

— Non, merci! Je n'ai pas envie de me brûler.

— Chut! fit Smhöll. J'ai entendu des pas.

Puis, s'engageant dans le corridor éclairé par les pâles lueurs de l'aube qui filtraient à travers la toiture de cristal, l'Irbit prit la direction des soubassements du palais. En bas de l'escalier, au moment de poser le pied sur la dernière mar-che, Smhöll et ses compagnons aperçurent des hommes-serpents et des hommes-sangliers qui arpentaient le couloir. Soudain, des colosses de plus de deux mètres de haut, revêtus d'une armure sombre, s'avancèrent dans leur direc-tion en vociférant des ordres.

— Des Mandrökes! s'étrangla Smhöll.

En les voyant approcher, Will et Kündo eurent le réflexe de remonter l'escalier mais Smhöll leur fit signe de ne pas bouger.

— Qui sont-ils? murmura Will.

— Ce sont des démons animés par l'esprit de vengeance des anciens guerriers maudits. Ces esprits viennent des ténèbres les plus reculées du Golgöva.

Les Mandrökes encadraient les autres créatures qui déambulaient dans les sous-sols de la cité. L'armure aux reflets métalliques que portaient ces guerriers ténébreux était munie de pointes acérées aux épaules, aux poignets et aux genoux. Will essaya de voir leur visage, mais ces spectres semblaient en être dépourvus.

Des cris retentirent au loin.

Sans doute des prisonniers dans une des pièces du palais.

La horde passa devant eux sans les voir et disparut au bout du couloir.

Smhöll se tourna vers Will :

— À partir d'ici je ne peux plus t'aider, je ne peux que t'accompagner. Allez, détruis tous ces monstres avec ta magie!

— Ça viendra, Smhöll, patiente encore un peu! rétorqua Will.

Et il ajouta à l'intention de Kündo :

— Maintenant, je vais suivre mon intuition.

Ses compagnons sur les talons, Will se dirigea vers le fond du couloir, d'où provenaient les plaintes. Le corridor jonché de gravats dans lequel ils progressaient n'offrait que très peu de clarté.

— Prudence! lança Kündo. Cet endroit ne me dit rien qui vaille.

— Il a raison, chuchota Smhöll. Qui sait ce qu'il peut y avoir dans cette pièce?

— Je dois y aller, c'est plus fort que moi! lança Will.

Plus Will et ses compagnons approchaient, plus les plaintes s'intensifiaient. Ils arrivèrent enfin devant une porte en bois massif, entre-bâillée. Will la poussa doucement de la main et découvrit un spectacle désolant. Tout au fond de la pièce se lamentait une femme, les poignets et les chevilles enchaînés au mur.

Cela ne peut être que la princesse Arthélia.

À ses côtés, pieds et mains pareillement fixés à la cloison par des chaînes, deux soldats étaient suspendus. Will s'avança aussitôt vers la prisonnière. Sa tête retombait lourdement sur sa poitrine et ses longs cheveux défaits recouvraient entièrement son visage. Elle ne gémissait plus.

En voyant Will, les deux soldats s'agitèrent. Ils essayaient tant bien que mal de communiquer, mais seuls des sons incompréhensibles sortaient de leur bouche. En s'approchant, Will constata avec horreur qu'on leur avait tranché la langue. Dès qu'il fit mine de retourner vers la princesse, ceux-ci se remirent à s'agiter.

— Kündo, essaie de voir si tu ne pourrais pas libérer ces braves serviteurs, demanda Will.

Kündo se mit à scruter le sol à la recherche d'un objet quelconque avec lequel il pourrait briser leurs chaînes.

Smhöll, pour sa part, faisait le guet à l'entrée de la pièce. Will releva la longue chevelure de la princesse. Juste au moment où son visage allait être dévoilé, un rire sardonique résonna. La tête de la souveraine se releva d'elle-même et au lieu du visage d'Arthélia c'est l'horrible faciès de Zôria qui apparut. Will fit un pas en arrière alors que la sorcière s'écriait :

— Bien joué, Smhöll! Pour une fois, tu m'as bien servie, petite vermine. Tu en seras récompensé.

Dans un accès de colère, Will se jeta sur Smhöll et le saisit à la gorge. Au moment où la sorcière réintégrait sa forme spectrale et se mettait à graviter au-dessus d'eux, l'Irbit, sur le point de suffoquer, se transforma en Mandröke. À son tour, il attrapa Will par le cou, le souleva et le projeta à quelques mètres de là. Kündo poussa un féroce rugissement.

— Qui espères-tu impressionner, petit monstre? Tu n'es que le piètre résultat d'une expérience manquée! lança la sorcière avant d'éclater de rire.

Ces insultes mirent le garçon dans une telle rage qu'il se transforma instantanément en lion sous le regard stupéfait de la sorcière.

Sans attendre, l'animal déchaîné bondit vers le spectre. Mais avant qu'il n'arrive à destination, ce dernier s'évapora. Le lion se retourna et sauta sur le Mandröke. Will profita de cet instant de répit pour libérer les gardes en brisant leurs chaînes à l'aide d'une pierre. Esquivant la plupart des coups du Mandröke, Kündo était sur le point d'éliminer son adversaire quand celui-ci passa à travers le mur. À force de gestes et de mimiques, les gardes réussirent à se faire comprendre. La princesse était emprisonnée non loin de là.

Avant de quitter la pièce, Will appela son compagnon :

— Viens, Kündo! Viens, c'est fini!

Le gros félidé hésita, puis lui emboîta le pas.

Les serviteurs conduisirent Will et Kündo jusqu'au cachot de la princesse. Quand ils furent devant la porte de la geôle, un autre Mandröke rappliqua. Will et ses compagnons n'eurent d'autre choix que d'entrer prestement dans la pièce. Kündo, qui n'avait pas encore réintégré sa forme humaine, resta à l'extérieur et s'attaqua au colosse en armure alors que d'autres monstrueuses créatures arrivaient en renfort.

Dans la pièce, les deux soldats bloquèrent la grosse porte bardée de fer du mieux qu'ils purent. Will se dirigea vers la princesse qui gisait sur une table, les mains et les pieds attachés par des cordes qui lui écorchaient la peau. Elle était inconsciente. Will lui tapota délicatement les joues pour la ranimer. Lorsqu'elle revint à elle, la jeune femme commença à s'agiter. Cependant, en voyant le visage de Will penché sur elle, elle se calma. Elle le fixa dans les yeux, puis dit d'une voix très douce :

— Mais qui es-tu, étranger?

— Je m'appelle Will Ghündee, princesse Arthélia. Je suis un ami de Gaël.

— Gaël! Comment peux-tu connaître Gaël? Tu es si jeune et lui a été transformé en Taskoual, il y a si longtemps.

— C'est une longue histoire. Mais d'abord, il faut vous sortir d'ici.

La princesse fut bientôt libérée de ses liens. Elle constata avec soulagement que ses fidèles gardes du corps étaient vivants. Ces derniers retenaient toujours la porte, en la bloquant avec une grosse pièce de bois. Alors que Will cherchait une autre issue, la princesse lui dit :

— J'ai bien peur que nous soyons condamnés à mourir ici.

Puis d'un craquement sec, la porte vola en éclats. Les gardes furent projetés avec les débris. Et le spectre de la sorcière réapparut.

— Zôria! Immonde vipère! s'écria la princesse. Je me doutais bien que tu étais l'instigatrice de tout cela. J'aurais dû écouter Sartuzar lorsqu'il me conseillait de te faire enfermer dans une prison de verre et de te faire jeter au fond de la mer Noire.

La sorcière eut un rire méprisant :

— À présent, c'est toi qui es à ma merci, petite insolente! Ton royaume m'appartient et tu vas mourirrrrrr...

Puis elle ordonna au Mandröke qui l'accompagnait :

— Tue-les tous! Et tâche de ne pas abîmer le corps de la princesse.

En voyant le guerrier s'avancer vers la jeune femme, Will s'interposa.

Avec pour seules armes ses poings et son courage, il se jeta sur le monstre et le frappa le plus fort qu'il put, se meurtrissant les jointures contre son armure. Mais le géant de fer l'empoigna par un bras et le projeta contre un mur avant de se diriger de nouveau vers la princesse.

Will se releva et chargea le Mandröke. Cette fois, celui-ci saisit Will à bras le corps et le plaqua violemment au sol. Il l'y maintint avec son genou et lui serra le cou. La pierre de Will, qui se trouvait sous les mains de la bête, se remit à briller. Elle devint rouge écarlate avant de brûler profondément la main du Mandröke. Le colosse se transforma alors en un minuscule Irbit. C'était Smhöll, le traître. Malgré les menaces de la sorcière, ce dernier s'enfuit aussitôt en maudissant la pierre ardente. Zôria jura de lui ravir tous ses pouvoirs et de le transformer en insecte rampant pour le restant de ses jours.

Ensuite, plus en colère que jamais, elle prononça des paroles incantatoires. Une demi-douzaine de scarabées géants sortirent des murs et s'avancèrent vers Will et les gardes qui tentaient de protéger la princesse en formant un bouclier humain.

En ramassant tout ce qui leur tombait sous la main, ils tentèrent tant bien que mal de faire reculer les monstrueux coléoptères, mais n'y parvinrent pas. Se sentant pris au piège, Will eut une pensée en forme de prière :

Qu'est-ce que je donnerais pour avoir entre les mains l'épée du Grand Esprit!

10
L'acceptation

Alors que tout semblait perdu, la déesse Aurora fit une apparition inespérée. L'intense flux lumineux qui s'en dégageait terrorisa les créatures maléfiques qui reculèrent vivement. Le spectre de la sorcière s'évapora dans un nuage de fumée. La déesse, qui tenait dans ses mains une magnifique épée, s'adressa à Will en posant sur lui un regard empreint de sollicitude.

— Will, pour le courage dont tu as fait preuve en débarrassant le monde parallèle du sorcier et pour l'aide que tu viens de fournir à la reine Arthélia, nous te confions de nouveau l'épée du Grand Esprit. Qu'elle te serve à combattre le mal et à protéger les êtres de bonté! Cette arme t'est prêtée. Le moment venu, elle retournera au monde des esprits auquel elle appartient.

Aurora tendit l'épée à Will, tandis qu'un fourreau apparaissait à sa ceinture. Dès que l'arme fut entre ses mains, la lame s'illumina d'une douce lumière vacillante. Puis les pierres précieuses enchâssées dans sa hampe se mirent à scintiller comme si l'épée reconnaissait le porteur.

Dès que la déesse eut disparu, les créatures reprirent leur avancée menaçante. Will défia les monstres sous le regard inquiet de ses compagnons. D'un puissant coup d'épée, il trancha l'énorme pince du premier scarabée qui se présenta. Après quoi, il le transperça derrière la tête, juste à la jointure de la carapace. Quand la lame pénétra le corps de la créature, un rayon s'en échappa et les pierres de sa hampe étincelèrent. Le scarabée qu'il venait de terrasser fut instantanément réduit en cendres.

Les deux autres bêtes se jetèrent sur Will en émettant des sons stridents et en faisant claquer leurs cisailles. Mal leur en prit car au contact de l'épée divine, les pinces, autrefois invulnérables, se brisèrent comme du verre. Jouant d'adresse, Will vint à bout de tous ses adversaires.

Le calme était enfin revenu. Quand Will se retourna vers la princesse, il vit le visage d'Arthélia se contracter brusquement. Dans le reflet de ses yeux, il aperçut une silhouette menaçante derrière lui.

— Will! Attention! Un Mandröke! hurla la princesse.

Trop tard! Le géant de métal était déjà sur lui. Will se retrouva sur le dos, désarmé et impuissant. Le Mandröke cloua Will au sol et l'y maintint avec tant de force que celui-ci avait peine à respirer.

Affolés, les gardes de la princesse essayèrent tant bien que mal de faire lâcher prise au Mandröke. Le monstre délaissa momentanément sa prise pour se débarrasser des gardes en les repoussant d'un simple revers de sa main gantée de fer. Il les envoya valser jusqu'au fond de la pièce. Pendant ce temps, Will reprit son souffle et Arthélia, armée d'un long morceau de bois, se mit à frapper de toutes ses forces sur le Mandröke. Ce dernier la saisit à la gorge et la leva à bout de bras. À cet instant, la maléfique Zôria réapparut et ordonna à son serviteur d'en finir au plus vite avec Will et la princesse.

Will vit tout à coup une ombre bondir sur l'homme de fer et le projeter au sol avec une force incroyable. Durant le furieux corps à corps qui s'ensuivit, Will constata avec soulagement qu'il s'agissait de son ami Kündo. Le lion, qui avait réussi à se débarrasser de ses assaillants, accourait à leur secours.

Will se releva péniblement et entraîna Arthélia au fond de la pièce. Il chercha ensuite son épée du regard. Quand il l'eut repérée, il avança dans sa direction. Au moment où il allait la saisir, la sorcière projeta un rai lumineux qui propulsa l'arme sacrée hors de sa portée.

Will, se rappelant les propriétés particulières de l'épée, lui ordonna de revenir à lui. Celle-ci s'exécuta. Will l'empoigna vivement par la lame et la lança en direction du spectre de la sorcière qu'elle transperça de part en part pour aller se ficher dans une poutre du plafond. Le fait d'avoir été traversé par l'épée du Grand Esprit affaiblit le spectre qui disparut, abandonnant à elles-mêmes les autres créatures.

Après avoir récupéré son arme, Will se porta au secours de Kündo qui venait de recevoir un mauvais coup. Will se jeta sur le Mandröke et, d'un seul revers de son épée, lui trancha l'avant-bras. Curieusement, aucune goutte de sang ne s'échappa de la blessure. De son bras valide, le géant mutilé tenta de frapper Will de toutes ses forces. Celui-ci évita de justesse le poing de fer qui, tel un bélier, pénétra violemment dans le mur en faisant voler des éclats de pierre tout autour. Profitant du déséquilibre du Mandröke, Will, d'un geste précis, lui enfonça son épée dans le poitrail. Aussitôt, le colosse fut pulvérisé et retomba en fine poussière.

Tandis qu'on entendait d'autres grognements venir au loin, Will invita Kündo – qui avait repris son apparence humaine –, la souveraine et ses gardes à quitter les lieux prestement.

— Princesse, conduisez-nous vite au passage secret.

Après avoir traversé plusieurs corridors, ils aboutirent à la salle du conseil. Arthélia plongea aussitôt son bras au cœur de la colonne lumineuse. Apparurent alors dans les tableaux, en lieu et place des portraits des anciens souverains, les visages des chefs actuels des autres royaumes. Tous s'animèrent, sauf les deux rois des peuples du Nord, et commencèrent à parler avec nervosité.

— Le temps presse! s'écria Arthélia. Je n'ai que très peu de temps à vous consacrer. Je suis en danger de mort. Zôria a réussi à ramener du Golgöva le maléfique prince Imgöla et ses guerriers maudits. Nous devons vite unir nos forces et former une grande armée pour combattre cette horde d'immondes créatures qui a envahi le royaume. Si nous ne réagissons pas rapidement, leur emprise s'étendra sur le reste de notre monde. C'est pourquoi je fais appel à vous. Rejoignez-nous, avec vos meilleurs guerriers, au pied du mont Thérös, sur les terres de Malagösh où nos frères du Nord, qui ont déjà été avertis par messagers, nous retrouverons.

« Étant donné que ces monstres profitent de la nuit pour se multiplier, plus vite nous réagirons, moins nombreux ils seront! À présent, je quitte la cité. Que Brägma le Tout-Puissant vous accompagne et vous protège! »

Lorsque la princesse retira son bras de la colonne, les portraits des anciens souverains reprirent leur place habituelle, mais chacun d'eux fixait maintenant un point précis sur la carte. Les endroits ainsi pointés s'illuminèrent sur chaque tableau. Intrigué, Will s'approcha et vit qu'il s'agissait du même lieu : une partie des terres de Malagösh, plus précisément du mont Thérös.

— Venez! insista la princesse en se dirigeant vers la sortie.

Lorsqu'ils furent arrivés dans l'impasse, face à la cloison, Arthélia posa sa main à plat sur la paroi, là où le mur présentait une légère aspérité. Aussitôt, une partie de la cloison s'éclaira.

C'est l'empreinte de sa main qui sert de clef pour ouvrir le passage.

Comme à l'aller, tout un pan du mur de pierre glissa bruyamment. Les cinq fugitifs atteignirent bientôt la sortie qui débouchait dans la forêt Verte.

Ils prirent ensuite la direction des terres de Malagösh. Mais pour y parvenir, il faudrait franchir les alpes maudites, ainsi nommées en raison de tous les imprudents engloutis dans ses multiples pièges.

Après une longue marche en montagne, les compagnons trouvèrent refuge dans une grotte à mi-hauteur. La princesse profita de ce moment pour apprendre à connaître Will.

Ce dernier lui raconta les événements qu'il avait vécus avec Markus après avoir traversé le passage intemporel. Lorsqu'il mentionna sa rencontre avec Dhövik, la princesse l'interrompit :

— Ce cher Dhövik! J'espère qu'il pourra atteindre les terres Zarïd situées plus au Nord.

— Pourquoi? demanda Will.

— Parce que ces deux peuples, trop éloignés pour être en contact visuel avec nous dans la salle du conseil, sont ceux qui possèdent les combattants les plus aguerris et les armes les plus puissantes. Ils doivent se battre à nos côtés si nous voulons avoir une chance de remporter la victoire. Au rythme où les créatures de la sorcière se multiplient, j'estime que d'ici une semaine ils seront plus nombreux que tous nos combattants réunis.

— Je comprends. Mais, dites-moi, est-ce que les terres de Malagösh sont très loin d'ici?

— Elles sont à environ une journée de marche. Mais pour cela, il nous faudra cheminer jour et nuit, précisa la princesse.

— Comme j'aimerais pouvoir compter sur Pecka et ses frères Shinöks! murmura Will pour lui-même.

— Pecka? fit la princesse.

— Oui. Pecka est le chef des Shinöks, une espèce d'hommes-oiseaux qui vit dans le monde parallèle. Si les Shinöks étaient avec nous, nous serions sur les terres de Malagösh en un rien de temps, fit Will.

— Tes amis te manquent?

— Beaucoup! Avec eux, j'ai combattu une force maléfique comparable à celle avec laquelle vous êtes aux prises actuellement. Il s'agissait du sorcier Malgor.

— Avez-vous vaincu ce sorcier? interrogea la princesse.

— Oui. En réunissant toutes nos forces, en utilisant la ruse et avec l'aide de l'épée du Grand Esprit, nous avons réussi à anéantir Malgor et son armée.

Puis Arthélia s'adressa à Kündo :

— Et toi, qui es-tu, petit homme-lion?

— Je suis le résultat désastreux d'une expérience ratée de Zôria. J'étais tout jeune quand j'ai été enlevé. Elle voulait faire de moi un de ses instruments de vengeance. Son but était de réussir à se substituer à vous.

— Se substituer à moi! répliqua nerveusement Arthélia.

— Vous n'avez rien à craindre, princesse, assura Will. La sorcière n'a pas réussi à mettre Kündo sous son emprise. Peut-être a-t-elle omis de tenir compte de la force de son innocence d'enfant et de la pureté de son cœur. Cela pourrait expliquer que le maléfice n'ait opéré qu'en partie sur lui. Kündo a conservé sa volonté propre, mais malheureusement pour lui, il a aussi gardé cette apparence qui l'attriste tant.

La princesse caressa doucement le visage de Kündo :

— Merci de nous avoir secourus, Kündo. Tu es bien brave! Aimerais-tu faire partie de mon armée?

— Moi? Euh... bien sûr! J'en serais enchanté, mais j'ai promis à Will de l'accompagner.

— Accepte l'offre de la princesse. J'irai au mont Körnu tout seul. Reste avec elle et aide ses gardes à la protéger jusqu'à ce que vous ayez atteint les terres de Malagösh.

— Will, tu ne connais pas les Mirgödes, s'inquiéta Arthélia. Tu ne parviendras jamais jusqu'à eux, seul. Ces êtres sont évolués, mais ils font preuve d'une peur maladive. Une multitude de pièges ont été installés sur le parcours conduisant au mont Körnu. Plusieurs braves ont tenté d'y arriver avant toi. Malheureusement, même Venghör le fier, le plus puissant d'entre tous, n'en est jamais revenu!

— Je dois y aller, j'ai promis. Je ne peux laisser mes amis être condamnés à une vie d'errance éternelle.

— Sans sauf-conduit, tu n'y arriveras jamais. Ce serait du suicide pur et simple.

— Un sauf-conduit? fit Will soudainement intéressé. Comment peut-on se le procurer?

— Mon peuple et moi avons besoin de ton aide, alors voilà ce que je te propose. D'abord tu nous aides à vaincre Zôria et, en retour, je t'accorde le sauf-conduit dont tu auras besoin. Celui-ci augmentera tes chances d'arriver vivant chez les Mirgödes. Étant donné que ce sont des êtres très curieux, s'ils voient le sauf-conduit entre tes mains, ils te laisseront peut-être venir jusqu'à eux.

Cela va retarder mes recherches, mais au point où j'en suis, ai-je vraiment le choix?

— C'est d'accord! décréta Will en serrant la main de la princesse.

Cette dernière le retint un instant et déclara :

— Will, je sens en toi une force étrange qui sommeille, pareille à un volcan qui dort. Tu dois apprendre à l'apprivoiser et à la canaliser si tu veux pouvoir t'en servir.

Au même moment, Will eut une vision. Arthélia, qui n'était alors qu'une enfant, semblait terrorisée à la vue d'une sorcière hideuse qui venait de faire irruption dans sa chambre. Il vit aussi un jeune homme blond intervenir et s'interposer entre la fillette et la mégère. Cet homme fut ensuite transformé en Taskoual sous le regard pétrifié et les cris désespérés de la petite princesse.

Bouleversé par cette révélation, Will retira brusquement sa main de l'emprise de la souveraine.

— C'est ce à quoi je faisais allusion, lança Arthélia. Tu as en toi une force exceptionnelle qui te donne certains pouvoirs surhumains, dont celui-ci.

— Cet événement est demeuré gravé en vous, comme une profonde cicatrice. Je l'ai senti au contact de votre main. J'ai même vu Gaël... Vous l'aimiez beaucoup, n'est-ce pas?

— Ce cher Gaël, fit-elle tristement. Comment l'as-tu connu?

Will fit le récit de sa rencontre avec celui qui, sous l'apparence d'un Taskoual, était devenu tout d'abord son ami et, plus tard, son mentor.

— Ainsi Gaël est devenu un protecteur céleste! dit joyeusement la princesse. Comme je suis heureuse pour lui! Il y a tant d'années que je m'inquiète à son sujet.

— N'ayez crainte. À présent, il va très bien. Il a enfin trouvé sa voie, assura Will.

« Maintenant, je crois qu'il serait sage de se reposer un peu. Une longue route nous attend demain. »

— Tu as raison, Will. Mais comment dormir tranquille pendant que ces affreuses créatures se multiplient?

— Ce n'est pas en épuisant nos forces que nous arriverons à les vaincre. Nous nous devons d'être aussi alertes physiquement que mentalement!

— Ta sagesse m'étonne, Will, tu es si jeune encore!

— Parfois, la vie se charge de nous faire acquérir de la maturité.

Puis, en voyant Kündo qui s'était assoupi tout près de lui, Will poursuivit :

— Princesse, si je vous aide à vaincre cette sorcière, promettez-moi de prendre soin de Kündo après mon départ.

— Je t'en fais le serment!

— Vous savez, Kündo est plus âgé qu'il n'y paraît. Mais c'est comme si sa vie de petit garçon s'était arrêtée le jour où il a été touché par ce terrible maléfice.

— Ne t'inquiète pas pour Kündo. Dès que nous aurons repris possession de notre royaume, il logera avec moi, au palais.

— Merci, fit Will.

La princesse s'adossa à la paroi, tout près de ses gardes qui dormaient déjà. Will, ne pouvant se résoudre à laisser la jeune femme dans une position si peu confortable, sortit de la grotte et alla couper quelques branches pour lui faire une paillasse.

À son retour, il la trouva endormie, la tête appuyée contre un rocher. Will disposa les branches sur le sol, prit la souveraine dans ses bras et l'étendit délicatement sur cette couche improvisée. Il plaça ensuite quelques branches sous sa tête en guise d'oreiller, et alla s'asseoir auprès de Kündo.

11

Le piège à voyageurs

En proie à la panique, Will se réveilla au milieu de la nuit, le visage couvert de sueur. Le cauchemar qu'il venait de faire semblait si réel. Il en était tout bouleversé. Dans son rêve, Markus et Jawäd se trouvaient aux prises avec des créatures ténébreuses qui les pourchassaient et les torturaient, projetant sur eux des ondes cérébrales très puissantes. Submergés par la douleur, ils hurlaient comme des fous en se tenant la tête à deux mains. Dans ce songe étrange, Will était lui-même retenu prisonnier, pieds et poings liés, et assistait impuissant au supplice de ses amis. Ces derniers criaient sans cesse son nom et l'imploraient de les sortir de ces lieux maudits.

Tirée de son sommeil par les gémissements de Will, la princesse s'approcha de lui et, pour le calmer, posa sa main fraîche sur son front. Elle épongea ensuite son visage en se servant de sa longue robe et dit :

— Will, tu as fait un cauchemar.

— Ce n'était pas un cauchemar! Je les ai vus! affirma ce dernier encore sous le choc.

— Mais de qui parles-tu?

— De mes amis! Je les ai vus dans l'Antre des Maltïtes et ils ne cessaient de m'appeler à l'aide. C'était horrible! J'étais avec eux, mais incapable de les secourir. Le temps presse! Je dois les retrouver parce qu'ils ne tiendront plus longtemps!

— Allons, calme-toi, dit la princesse d'une voix douce. Cette vision n'est peut-être pas actuelle. Il y a de bonnes chances pour qu'elle fasse partie d'événements qui se produiront dans un avenir prochain. Je te conseille de te concentrer pour mémoriser chacune des images visualisées durant ton sommeil. Ces visions pourraient te permettre d'éviter certains pièges qui jalonneront ta route jusqu'à tes amis et de les aider lorsque le moment sera venu.

« D'après ce que tu me dis, ils sont prisonniers de l'Antre des Maltïtes. Cela ne fait aucun doute. Mais tu dois rester confiant. Ils sont toujours vivants et ils luttent dans l'espoir qu'on vienne les délivrer.

— Vous avez raison. Et j'y arriverai parce que jamais je ne les abandonnerai!

Le regard vert jade de la princesse lui rappela celui de son petit compagnon, Arouk, le Taskoual. Il reprit :

— Je suis désolé d'avoir perturbé votre sommeil.

— Ce n'est rien, Will. À présent, rendors-toi et essaie de te rappeler chacune des images qui te viendront en rêve. Et merci pour la paillasse. Ce geste t'honore et prouve que tu es un gentilhomme.

— Euh... ce n'était pas grand-chose, balbutia Will, un peu gêné. Bonne nuit, princesse!

— Bonne nuit, Will!

Bien que Will eut d'autres visions concernant ses amis, il fut beaucoup moins agité le reste de la nuit. À son réveil, il s'empressa de mémoriser les révélations qui lui avaient été faites et sortit de la caverne. La princesse le rejoignit un peu plus tard. De gros nuages noirs envahissaient l'horizon. Quand Kündo et les deux gardes sortirent à leur tour, ils furent visiblement troublés par l'aspect inhabituel du ciel. Les serviteurs s'inclinèrent respectueusement devant leur souveraine. Sensible à leur handicap, celle-ci leur effleura la tête de ses mains :

— Braves et fidèles soldats, que j'aimerais pouvoir vous rendre la parole! Hélas! je ne suis pas magicienne. Mais je vous promets que Zôria et Imgöla vont regretter tout le mal qu'ils vous ont fait!

Puis se tournant vers Will et Kündo :

— Vous devez mourir de faim?

— Un bon petit-déjeuner serait apprécié. Mais je suis bien conscient que ce n'est pas possible actuellement, répondit Will.

— Pourtant si! Venez, je connais un endroit tout près d'ici où poussent des légumes aux propriétés énergisantes tout à fait étonnantes, assura la princesse.

Elle les conduisit jusqu'au sommet de la colline, puis, à l'aide d'une pierre plate, se mit à creuser le sol. À l'étonnement de Will, elle déterra d'étranges tubercules mauve foncé. D'allure boursouflée, ces derniers ressemblaient à des concombres parsemés de bosses.

— Malgré leur apparence, ces racines sont succulentes, déclara Arthélia.

Elle en frappa une contre la pierre. Il s'en écoula un liquide brunâtre peu ragoûtant. Le légume contenait des petits pépins noirs et ronds comme des billes. Après avoir vu la princesse et ses gardes s'en régaler, Will y goûta et fut aussitôt imité par Kündo.

— Eh… c'est drôlement bon! s'exclama Will, la bouche pleine. Mais dites-moi princesse, comment connaissez-vous l'existence de ces légumes? Je vous imagine mal escaladant les alpes maudites qui sont, paraît-il, truffées de pièges, seulement pour le plaisir de cueillir des tubercules, si bons soient-ils!

— Alors que j'étais toute petite, Gaël m'emmenait souvent en balade. Pendant que mes parents s'occupaient des affaires du royaume, lui et moi quittions le palais en douce. Il me conduisait ici, m'apprenant à éviter soigneusement tous les pièges que recèlent ces montagnes. Nous passions des moments merveilleux, assis au sommet, à admirer le paysage, bavardant de tout et de rien. Un beau jour, Gaël me montra comment trouver le krög, cette étrange racine. C'est d'ailleurs grâce à elle si le peuple des Zumériens a pu survivre en altitude durant des siècles.

— Gaël vous manque beaucoup, n'est-ce pas?

— Oui. Il était pour moi comme un frère, aimant et attentif. Pourtant de mon côté, je rêvais secrètement qu'un jour il voie en moi plus qu'une petite sœur ou qu'une princesse à servir. J'aurais tant voulu que tout ce qui s'est passé ne soit jamais arrivé. Aujourd'hui, qui sait, il serait peut-être mon époux, soupira Arthélia avec nostalgie.

— Je compatis à votre peine. Mais si Gaël ne s'était pas porté à votre secours, vous ne seriez pas là aujourd'hui. Et s'il n'avait jamais été transformé en Taskoual par la sorcière, je n'y serais pas non plus. Ainsi va la vie.

— Je sais. Rien ne peut nous détourner de notre destinée. Heureusement, maintenant je connais le sort de Gaël qui baigne dans la lumière de Brägma. Je suis donc moins triste.

— Princesse, je peux remplacer Gaël, si vous voulez! lança naïvement Kündo en bombant le torse.

— Tu es gentil, Kündo, gloussa la princesse, mais mon cœur appartient toujours à Gaël…

Bien repus, tous reprirent le chemin des terres de Malagösh.

☽ ☆ ☾

La petite troupe était en route depuis un moment déjà, lorsque Kündo, qui suivait derrière, sentit le sol s'ouvrir sous ses pieds :

— Wiiiiillll...

Affolé, Will se précipita en direction de Kündo. Mais il fut vite freiné dans son élan par le cri d'Arthélia :

— Nooooooon! N'y va pas!

Will se tourna vers elle.

— Reste là et ne bouge surtout pas!

Puis, reprenant son calme, elle poursuivit :

— Si tout va bien, la montagne devrait recracher Kündo dans peu de temps.

— Le recracher? s'étrangla Will.

— Oui. Fais-moi confiance, assura la princesse.

Will, qui percevait toujours les appels étouffés de Kündo, avait peine à se retenir de lui porter secours. La princesse s'agenouilla et plaqua son visage contre terre.

— Mais, que faites-vous? lança Will de plus en plus nerveux.

— Au secours, Will! criait désespérément Kündo. Je vais me faire dévorer par d'affreuses créatures qui…

C'en fut trop. Will ne put s'empêcher d'accourir auprès de son ami.

Il sauta à pieds joints dans le trou et, glissant dans une sorte de tunnel vertical, il atterrit bientôt aux côtés de Kündo. Will constata alors que les créatures mentionnées étaient en fait des rats répugnants qui avançaient vers eux. Comme la plupart des bêtes aperçues dans ce monde, celles-ci étaient de taille démesurée. De la bave acide sortait de leur gueule et s'écoulait sur les pierres au sol en provoquant un bouillonnement sonore.

Will, qui n'avait nullement l'intention de leur servir de dîner, sortit son épée et trancha quelques têtes. Mais quelle ne fut pas sa surprise de voir des spectres d'enfants s'échapper du corps des rats décapités. Pris de terribles remords, Will cessa le massacre. Il se contenta d'utiliser son épée pour tenir les bêtes à distance.

Il était tellement sollicité par ces créatures qui arrivaient de partout et qui revenaient sans cesse à la charge qu'il entendit à peine le chant mélodieux qui retentit alors. Le son qui s'intensifia semblait résonner sous la voûte de la grotte. Étrangement, les monstrueux rongeurs stoppèrent leur progression et levèrent tous la tête.

C'est alors que Will et Kündo furent brusquement aspirés vers le haut. En une fraction de seconde, ils furent éjectés du ventre de la montagne. Will entendit la princesse crier :

— Ça va, vous deux? Pas trop de mal?

Quand elle fut rassurée sur leur état, Arthélia, qui se tenait à bonne distance, ordonna :

— Restez où vous êtes, nous venons vers vous. Ne bougez surtout pas!

Puis, accompagnée de ses gardes, elle s'approcha très lentement d'eux en prenant soin de tâter le sol de ses pieds à chaque pas.

Will demanda :

— Que s'est-il passé? Comment la montagne a-t-elle pu nous expulser ainsi? Et les rats géants, ce sont des enfants, n'est-ce pas?

— Cette partie des alpes est la plus dangereuse. Je croyais que nous réussirions à franchir le col de la mort sans encombre. Alors pour ne pas vous inquiéter inutilement, j'ai choisi d'éviter le sujet. Je constate maintenant que ce fut une grave erreur et je le regrette.

— Mais pourquoi la montagne nous a-t-elle rejetés? demanda Will.

— Cet endroit, qui se nomme en réalité le col de Gorbö, tient son nom d'un sorcier qui y a été enseveli après avoir été lapidé par les habitants du royaume.

Intrigué au plus haut point par l'expérience qu'il venait de vivre, Will n'eut de cesse que la princesse lui révélât l'explication du mystère entourant ces alpes.

12
La légende de Gorbö

— Selon la légende, le sorcier Gorbö, qui vouait aux enfants une haine maladive, avait enlevé en une seule année plus d'une centaine d'entre eux. Bien que personne alors ne sut exactement ce qui leur était arrivé, tous se doutaient de la culpabilité du sorcier. Malheureusement, personne n'avait de preuve. Pourtant, un jour, un enfant jusqu'alors prisonnier avait réussi à s'enfuir. Il fut catégorique : l'agresseur était bien le sorcier de la forêt Verte.

« On apprit ce jour-là que Gorbö gardait les jeunes dans une pièce aménagée sous sa cabane jusqu'au moment de les transformer en rats et de les emprisonner au cœur de la montagne.

« Aveuglés par la colère, les habitants envoyèrent quérir Zrébuliüs, un puissant enchanteur. Ils lui promirent une généreuse rétribution en échange de ses services. Celui-ci accepta le marché. On l'accompagna donc jusqu'à la cabane de Gorbö. C'est à cet endroit que Zrébuliüs défia le sorcier dans un duel de magie.

« La lutte dura une bonne partie de la nuit. Heureusement, Zrébuliüs en sortit vainqueur et Gorbö fut dépouillé de tous ses pouvoirs magiques avant d'être lapidé par les parents des enfants. Sa dépouille fut ensuite enterrée dans les alpes d'Odak, ainsi nommées autrefois en souvenir du premier souverain d'Argöss.

« Après cet événement, plusieurs habitants du royaume ainsi que de nombreux voyageurs disparurent mystérieusement lors de promenades en montagne. On dut interdire l'accès aux alpes d'Odak qui furent depuis rebaptisées les alpes maudites… »

— Mais princesse, je ne comprends toujours pas comment la montagne nous a expulsés de son ventre, Kündo et moi, fit Will.

— J'y arrive. Gaël, pris de pitié pour les pauvres petits que le sorcier avait ensorcelés et ensevelis, et convaincu que ces derniers étaient toujours vivants, décida un jour de défier ces lieux interdits. Il se rendit à l'endroit, marqué par une grosse pierre, où le sorcier avait été enterré, puis, à l'intention des enfants, il entonna un chant mélodieux.

« Quelle ne fut pas sa surprise de voir, quelques instants plus tard, la montagne recracher un homme qui atterrit juste à côté de lui. Cet individu était un commerçant itinérant emprisonné dans la montagne peu de temps auparavant. Gaël en profita pour lui demander ce qu'il y avait là-dessous. L'homme lui parla des rats, ces énormes bêtes qui avaient tenté à maintes reprises de le dévorer. Curieusement, certains de ces rongeurs portaient au cou un pendentif.

« C'est en traçant un cercle autour de lui avec l'une de ses potions à l'odeur particulièrement nauséabonde que l'homme avait réussi à garder les rats à distance.

« Puis il y avait eu le chant de Gaël. Sans pouvoir expliquer pourquoi, il s'était soudainement senti aspiré vers le haut.

« Gaël crut qu'étant donné la terrible haine qu'avait toujours entretenue Gorbö envers les enfants, il devait en être encore ainsi. Après sa mort violente, l'âme du sorcier ayant été condamnée à hanter ces lieux éternellement et exaspérée par le chant naïf, avait rejeté le voyageur hors du gouffre pour tenter de faire cesser cette torture », conclut la princesse.

— Je comprends mieux à présent, lança Will, tout en époussetant son pantalon.

— Ouille, ouille, ouille! Que c'est douloureux! fit Kündo en massant le bas de son dos endolori par la chute.

— Venez, il ne faut pas traîner ici. Nous devons atteindre le point de ralliement au mont Thérös le plus vite possible, insista la princesse. Suivez-moi et surtout, prenez garde où vous posez les pieds.

☽ ☆ ☾

La petite troupe avait traversé une bonne partie des alpes maudites sans trop de mal quand soudain, un curieux volatile au plumage rouge et jaune fit son apparition au-dessus d'eux. Le Voltigeur fou, comme l'appelait la princesse, volait dans les airs en tourbillonnant, puis plongeait brusquement vers le sol pour ensuite remonter en altitude. Il recommençait continuellement le même manège, ce qui finit par étourdir Will qui malencontreusement donna un coup de pied sur ce qu'il croyait être une branche morte.

C'est alors que surgit du sol un gigantesque serpent qui se dressa devant eux en laissant

échapper d'étranges sifflements. L'animal mesu-
rait plus de cinq mètres et avait un corps aussi
gros qu'un arbre mature. Will sortit précipitamment l'épée de son fourreau et la brandit très
haut. Le reptile glissa vers lui sans aucune
crainte. Will, qui soutenait le regard de l'animal,
entendit la princesse murmurer :

— Ne fais aucun geste brusque! C'est un
Crypton malicieux. Méfie-toi, il est capable de
t'avaler d'une seule bouchée. D'ordinaire, ces
créatures ne sont pas agressives, mais tu as dû
lui marcher sur la queue, ce qui ne lui a visiblement pas plu. Il s'est senti agressé et pour cela,
il va chercher à te tuer. Pour ceux de sa race, tout
est une question d'honneur, précisa la princesse.

— Oups! fit Kündo. Je crois qu'il est un peu
tard pour des excuses.

— Comme tu dis, Kündo… chuchota Will.

Pourtant, ce dernier ne pouvait s'empêcher
d'admirer la stature imposante de ce magnifique
reptile et la beauté de ses écailles chatoyantes. En
même temps, il se demandait comment, si besoin
était, il arriverait à les transpercer avec son épée.

Immobile, il tenait toujours sa lame bien haut
quand le serpent vint frôler malicieusement
l'épée du Grand Esprit. On eût dit qu'il avait
ressenti les vibrations qui en émanaient et qu'il

avait décidé de ne pas attaquer. Puis jetant à Will un regard provocateur, il ouvrit la gueule et siffla :

— Étranger, tu sssssssais que je devrais te tuer pour avoir osé troubler mon sssssssommeil, ssssss... Toutefois, je ne ferai rien tout de ssssss-suite, ssssss... Je ne sssssssaurais m'en prendre au porteur de ccccette épée lorsssssqu'elle est brandie, car je sssssssais très bien qu'elle renferme de grands pouvoirs, ssssss... Alors, passsssssse vite ton chemin et ne relâche pas ta vigilancccccccce, car, dès que nous le pourrons, nous te ferons payer ton affront, ssssss...

Il se retira ensuite sous terre.

— Ouf! soupira Kündo, nous l'avons échappé belle!

— Reprenons la route sans perdre de temps, suggéra Will qui fermait maintenant la marche, l'épée à la main.

L'avancée alla bon train jusqu'au moment où Will, alerté par une forte odeur de soufre et un léger chuintement, releva la tête. Il aperçut avec horreur un autre énorme serpent qui le sur-plombait de toute sa hauteur, prêt à s'abattre sur lui, les mâchoires grandes ouvertes et tous crocs dehors. Vif comme un chat, Will brandit son épée au-dessus de sa tête et transperça la gueule du Crypton.

L'impressionnant reptile se mit alors à geindre et à se tordre de douleur. Il disparut finalement, dans un petit nuage de poussière. En essuyant sa lame, Will remarqua sur le sol une des dents du serpent mort. Il la ramassa et, tel un trophée de chasse, la rangea dans la poche arrière de son pantalon.

La princesse déclara :

— Quel valeureux chevalier tu ferais, si tu voulais rester!

— J'apprécie l'honneur que vous me faites, princesse Arthélia, mais malheureusement, ma place n'est pas ici. Aussi, je me demande si je réussirai un jour à retrouver mes amis sains et saufs et à les ramener dans le monde parallèle.

— Tu réussiras, j'en suis persuadée, lança la princesse. Tu devras faire preuve de beaucoup de courage et de persévérance, mais tu y parviendras.

À ses mots, Will sentit qu'il reprenait confiance.

— En route, fit la princesse. Nous ne sommes plus très loin du village de Broakmär maintenant. Il est tout en bas, dans la forêt de Nhäm. Si les habitants ne sont pas tous disparus, peut-être auront-ils de quoi nous restaurer.

— Quelle sera la prochaine étape?

— Après le village de Broakmär, nous devrons faire un petit détour et escalader le mont Kirfü. C'est là que nous récupérerons le Psyliüm d'Archée. Ensuite, nous irons rejoindre nos alliés sur les terres de Malagösh.

— Le Psyliüm d'Archée?

— C'est une dague d'une puissance exceptionnelle. Elle seule a le pouvoir de détruire les esprits maléfiques vivants ou à l'état de spectre. Elle renferme aussi d'autres forces, mais tu devras les découvrir par toi-même.

13

Un choix difficile

La princesse prit soin de prévenir ses compagnons des éventuels pièges dressés sur leur route. Ainsi, malgré un ciel entièrement couvert d'une épaisse couche de nuages gris, signe évident de l'emprise de plus en plus grande des ténèbres sur la cité d'Argöss, rien ne vint troubler leur progression.

Parvenus en bas des alpes maudites, Will, Kündo, Arthélia et ses gardes s'enfoncèrent dans la forêt de Nhäm. Ils durent marcher plusieurs minutes avant d'atteindre le village de Broakmär. Quand ils arrivèrent sur les lieux, la princesse constata avec tristesse que ses craintes étaient fondées : le village avait été entièrement détruit. Il ne restait plus que des ruines fumantes.

Après un bref moment de désolation, Will se remit en marche en disant :

— Ne traînons pas ici. Si ça se trouve, les monstres sont peut-être encore dans le secteur. Retournons nous mettre à couvert dans la forêt.

Sur ces mots, la princesse Arthélia s'effondra. Ses deux gardes se précipitèrent aussitôt pour lui venir en aide. L'un d'eux tenta de la ranimer pendant que l'autre faisait de grands gestes pour attirer l'attention de Will. Mais celui-ci s'éloignait d'un pas décidé. Ce fut finalement Kündo qui le prévint :

— Will! La princesse est souffrante!

Will fit volte-face et fonça au chevet de la souveraine. Il la trouva allongée sur le sol, la tête sur les genoux d'un de ses gardes, le teint blême, dans un état semi-comateux.

Les yeux fermés, elle marmottait à voix basse des paroles incompréhensibles.

— Qu'avez-vous, princesse? s'inquiéta Will.

Recouvrant un semblant de lucidité, la princesse, qui aurait voulu ne rien laisser paraître, tenta de le rassurer :

— Ce n'est rien. Ça va passer.

Puis après une légère pause, elle poursuivit :

— En fait, c'est une importante baisse d'énergie. Cela arrive quand je suis éloignée trop longtemps du Körélium. Cette colonne lumineuse, qui trône au centre de la salle du conseil, me fournit l'énergie dont dépend ma survie. Le soleil peut aussi m'alimenter en énergie, mais si par malheur je m'éloigne trop longtemps du catalyseur et que le ciel est couvert, comme c'est le cas maintenant, inévitablement mes forces s'épuisent.

« Ces jours de plus en plus sombres sont sûrement le signe que la victoire des ténèbres est proche. Et puis, si je meurs, la sorcière s'appropriera mon corps pour accomplir ses noirs desseins... » s'interrompit Arthélia, avant de sombrer à nouveau dans l'inconscience.

— Princesse, réveillez-vous! supplia Will. Vous n'allez pas mourir!

Les gardes étaient complètement atterrés. Will, très nerveux, se mit à faire les cent pas. Il devait rapidement trouver une solution pour éviter que la princesse ne s'endorme à jamais.

— Will, fais quelque chose! La princesse ne doit pas mourir! Si elle disparaissait, cela voudrait dire que le mal a vaincu le bien. Cette catastrophe aurait d'affreuses répercussions sur tout notre monde.

— Je sais, Kündo, je sais, fit Will, tout haut.

Tout à coup, la solution s'imposa à son esprit.

Je n'ai pas le choix. C'est la seule possibilité de sauver la princesse et de prolonger sa vie!

Sans plus attendre, Will se pencha sur Arthélia et glissa à son cou la pierre de la déesse. Il posa ensuite la main sur son front et implora Aurora d'intervenir auprès de la souveraine.

Kündo, qui avait assisté à la scène, avait remarqué une fois encore cet étonnant rougeoiement sur le torse de Will. Cette mystérieuse lueur vacillante brillait à la hauteur de son cœur. Mais Will, trop occupé, n'avait eu conscience de rien.

Maintenant, la pierre de la déesse luisait sur le corps de la princesse, nimbant celui-ci d'un magnifique halo de lumière bleutée.

Miraculeusement, le visage d'Arthélia reprit peu à peu des couleurs. Ouvrant enfin les yeux, elle considéra Will un moment et déclara d'une voix douce :

— Merci, Will! J'ignore ce que tu as fait, mais je me sens beaucoup mieux.

— Reposez-vous maintenant. Nous repartirons seulement lorsque vous aurez complètement récupéré.

Malgré la réussite de son intervention et le sentiment d'avoir fait la seule chose qu'il y avait à faire, Will était préoccupé. Laissant la malade aux soins de Kündo et des gardes, il se dirigea vers la forêt.

En se départant de la pierre qu'il avait au cou, Will avait brisé la promesse faite à Arouk de ne jamais s'en séparer et cela le troublait profondément. Il avisa un rocher et s'y installa pour méditer quelques instants. Il était très malheureux d'avoir ainsi trahi son ami. Puis, au moment où il décida d'aller rejoindre ses compagnons, il entendit un faible murmure en provenance des feuillages avoisinants. C'était comme si le vent l'appelait à travers les branches.

— Willlll… Willllll…

Attiré par cette curieuse mélopée, il changea de direction et s'engouffra un peu plus loin dans la forêt. C'est alors qu'il eut une étonnante vision. Gaël se tenait devant lui, appuyé contre un arbre. Sur sa main était perché un superbe petit oiseau rouge tacheté de jaune. Will remarqua alors que, pour la première fois, Gaël avait l'air pensif.

— Pardonne-moi mon ami, s'excusa Will. Je me suis séparé de la pierre, mais je n'avais…

— Tout n'est pas toujours blanc ou noir dans la vie, Will. Nous devons parfois faire des choix difficiles. Tu as brisé ta promesse pour sauver la vie de la princesse. Comment pourrais-je t'en vouloir?

« Maintenant, poursuis cette mission dans laquelle tu t'es engagé avec elle. Aussi, sache qu'il ne m'est pas permis de venir te voir autant que je le voudrais, telle est la volonté de Celui qui gouverne tout. Mais avant de disparaître, je tiens à te rappeler une fois encore d'être très prudent. Ce monde est le mien, donc je le connais bien. Si tu crois que le monde parallèle était un endroit dangereux au temps de Malgor, ce monde-ci pourrait être ton pire cauchemar. N'oublie pas! Ton épée est ta plus fidèle alliée, ne t'en sépare sous aucun prétexte.

« Ne t'inquiète pas pour la princesse, la pierre la protégera un certain temps puisque la déesse Aurora l'a permis. Cependant, pour assurer sa survie, Arthélia devra réintégrer son royaume. Entre-temps, si par malheur elle perdait la vie, il te faudrait reprendre la pierre. Celle-ci t'est destinée et toi seul dois la porter jusqu'à ce que la déesse la réclame.

« Une dernière chose, Will, mon ami, promets-moi de veiller sur Arthélia. Elle est chère à mon cœur... », termina Gaël.

— J'y veillerai, lança Will, avant de voir l'image de son ami s'estomper et disparaître.

— Will, où es-tu? appela Kündo. La princesse va beaucoup mieux!

Will revint vers ses amis et constata qu'Arthélia avait recouvré ses forces. À son cou, la pierre de la déesse scintillait faiblement au rythme de son pouls.

— Vous nous avez fait une de ces peurs! lança Will, soulagé autant par la guérison subite de la princesse que par l'appui de son ami Gaël.

— Will! Comment te remercier? Je connais la valeur de cette pierre et ce qu'elle représente pour toi.

— Vous vous portez bien, c'est tout ce qui importe! Mais ce que j'aimerais savoir, c'est comment il se fait que vous soyez tributaire de cette colonne lumineuse?

— Depuis ma tendre enfance, je suis atteinte d'une maladie très rare appelée syndrome de Yéthär. Cet état m'oblige à demeurer en contact constant avec la source de lumière particulière qui provient des étoiles. Avec le système que Dhövik a mis au point, nous pouvons emmagasiner l'énergie de l'astre le plus brillant et le plus rapproché de nous, l'étoile de Yhösha.

— Je comprends maintenant pourquoi les habitants vous surnomment la princesse des étoiles! dit Kündo.

— Oui, c'est pour cela.

— Mais, fit Will, comment avez-vous accès à cette fontaine de jouvence? Je ne comprends pas.

— Grâce au génie de Dhövik, nous avons réussi à mettre au point un système capable de capter cette énergie astrale à l'aide des panneaux de cristal dont est fait le toit du palais. Les nuits où le ciel est sans nuages, nous emmagasinons la lumière que dégage la Yhösha à même le Körélium. Sans ce système immunitaire artificiel, je ne pourrais survivre.

— Et qui a découvert le remède à votre mal?

— À l'âge de quatre ans, une nuit où j'étais au plus mal, une chose incroyable s'est produite. Alors que mes parents et Dhövik veillaient à mon chevet, un rayon de lumière envahit ma chambre. La fabuleuse étoile de Yhösha qui, ce soir-là, étincelait de tous ses feux, vint poser son doux rayon lumineux sur moi. Inondée de ce flux de lumière, j'ai été prise d'un regain d'énergie soudain.

« Inspiré par cet étrange phénomène, mon brave Dhövik visualisa instantanément le schéma du système qu'il devrait construire. Cela allait me permettre de survivre », conclut la princesse en se relevant.

14

La dague sacrée

Au pied du mont Kirfü, la princesse indiqua à la petite troupe le sentier qu'il fallait prendre, puis tous s'engagèrent dans l'ascension de la montagne.

Parvenue à mi-hauteur, Arthélia montra du doigt un large plateau rocheux. C'était là que se trouvait la caverne qui servait d'écrin au Psyliüm d'Archée, cette fameuse arme que Will devait absolument récupérer.

— Attendez-moi ici! déclara Will. Je vais chercher la dague. Si je ne suis pas revenu dans une heure, partez sans moi. Mais ne craignez rien, tout se passera…

Il n'avait pas achevé sa phrase, qui se voulait rassurante, que trois affreux bipèdes poilus surgirent de la grotte.

— Prends garde! Ce sont les cerbères du passage, lui cria la princesse. Ces bêtes, habituellement pacifiques, ont dû être envoûtées par la sorcière.

— Reculez! cria Will à l'intention de ses amis.

Les créatures à tête de taureau s'approchèrent d'eux en les menaçant de leurs longues cornes effilées. Les monstres tenaient des cailloux dans leurs énormes pattes griffues. Comme le craignait Will, ils se mirent à lancer leurs projectiles dans sa direction. En tentant d'éviter les tirs, Will trébucha sur le sol inégal et se retrouva par terre.

C'est alors que la redoutable corneille noire fit son apparition. Elle se jeta aussitôt sur Will qui, instinctivement, plaça son bras devant son visage pour se protéger. Mais la bête ne ralentit pas son élan et, d'un violent coup de bec, lui arracha un bon morceau de chair.

Tout s'était déroulé si vite que Will n'avait même pas eu le réflexe de sortir son arme.

— Tuez-les tous! ordonna la corneille. Tuez la princesse et apportez-moi son corps, j'en ai besoin! Moi, je m'occupe du garçon, précisa-t-elle en piquant de nouveau vers Will.

Mais cette fois, ce dernier avait eu le temps de dégainer et de brandir son épée au-dessus de lui.

Surpris par ce geste, l'affreux volatile vint se fracasser le bec contre la lame étincelante. Ébranlé, il reprit son vol avec difficulté en poussant d'horribles croassements.

Will vit les trois monstres qui, tels des zombies, avançaient vers la princesse. Il se releva et, malgré sa blessure au bras, réussit à planter son épée dans la patte d'un des colosses. Le cerbère empoigna Will par le collet et le maintint à bout de bras. Ce dernier, ainsi retenu dans les airs, se sentait totalement impuissant quand, sans qu'il s'y attende, son agresseur le lâcha brusquement. Will ne comprit que plus tard que c'était Kündo qui, transformé en lion, était intervenu pour sauver son ami.

Dès qu'il fut à terre, Will, à son tour, se précipita au secours des gardes qui tentaient de protéger leur souveraine. Mais il arriva trop tard. Avant qu'il ne puisse intervenir, les deux hommes avaient été projetés en bas de la pente.

Will se retourna et vit, un peu plus loin, un des monstres qui, dans le but probable de ne pas abîmer le corps de la princesse, tentait d'étouffer celle-ci. Will parvint à le neutraliser avec son épée. Voyant cela, l'autre colosse se jeta sur lui en hurlant. Mais Will s'esquiva au dernier moment et transperça la créature d'un coup d'épée au poitrail.

Finalement, Kündo eut raison du dernier des cerbères en lui lacérant la gorge d'un coup de griffes. La sinistre corneille, qui semblait remise de sa blessure, revint vers eux en crachant sa colère. Au moment de toucher terre, elle se transforma en dragon bicéphale. Sans attendre, les deux têtes menaçantes commencèrent à s'en prendre à Will et à la princesse.

Kündo se porta à la défense de son compagnon. D'un bond rapide, il sauta sur le dos du dragon. De toute sa rage, il planta ses crocs dans l'un des cous de la monstrueuse créature. Mais, prise d'une douleur terrible, la bête donna un violent coup de tête et Kündo fut projeté durement contre la paroi rocheuse. Furieux, Will vint se planter en face du grand reptile ailé :

— Zôria, tu dépasses les bornes! Tu vas payer pour tous tes forfaits!

Aussitôt, le dragon fit un pas vers Will en crachant du feu. Ensuite, il tenta de l'atteindre en balançant son énorme queue. Mais Will esquiva l'attaque avec adresse. Il contourna l'animal et, d'un formidable coup d'épée, sectionna la queue, faisant gicler un bouillonnant flot de sang noir. Fou de douleur, le dragon se releva sur ses pattes de derrière en hurlant. D'un geste rapide, Will grimpa sur le rocher pour bondir ensuite sur le cou blessé. Loin d'apprécier cette compagnie, le dragon se cabra à plusieurs reprises, cherchant à se débarrasser de ce passager importun. Avant d'être projeté au sol, Will eut tout juste le temps d'enfoncer son épée derrière la tête jumelle. Instantanément, le dragon reprit son apparence de volatile. Une corneille, au corps tout ensanglanté, s'envola tant bien que mal, en s'écriant :

— Will Ghündee, je te ferai regretter amèrement d'avoir osé te mettre en travers de mon chemin!

Will récupéra son épée et courut au chevet de Kündo, à présent veillé par Arthélia. Le jeune garçon gisait sur le sol. Il était très mal en point.

— Kündo, réveille-toi, je t'en prie!

— Laisse-moi faire, intervint la princesse.

Elle plaça sa main sur le front de l'enfant et lui souffla dans la bouche. Puis elle se pencha vers lui et murmura quelques paroles inintelligibles.

Finalement, Kündo ouvrit un œil et demanda à Will :

— Où sont les monstres qui te voulaient du mal? Sont-ils partis?

— N'aie pas d'inquiétudes! Tu les a tellement impressionnés qu'ils ont fui, lança Will en jetant un regard complice à la princesse.

— Et vous princesse, pas trop secouée?

— Moi, ça va. Mais mes gardes ont disparu. Je ne les vois nulle part! s'inquiéta-t-elle.

— Venez, nous allons les chercher. Ils ne peuvent pas être bien loin, assura Will.

Tous se mirent à explorer le secteur à proximité de la caverne. Ne trouvant aucune trace d'eux, ils décidèrent d'agrandir leur périmètre de recherche.

— Je les ai trouvés! cria tout à coup Kündo.

Aussitôt, Will et Arthélia accoururent. Les pauvres gardes étaient dans un piteux état. L'un d'entre eux était à l'agonie. Il essaya malgré tout de communiquer avec la princesse. Quand elle comprit qu'il venait de succomber, Arthélia pleura en silence sur la dépouille de son valeureux serviteur. Puis posant sa main droite sur son front, elle le bénit et le recommanda au Puissant Brägma afin que son esprit repose en paix.

— Que c'est triste! fit Kündo. Que vous a-t-il dit, princesse?

— Il m'a fait comprendre qu'il regrettait de ne pas avoir été à la hauteur.

Puis elle se dirigea vers l'autre garde qui gisait non loin de là. Ce dernier saignait abondamment et gémissait de douleur. Sans attendre, Arthélia déchira un lambeau de tissu dans le bas de sa robe et lui fit un pansement autour de la tête.

— Will, le temps presse! Tu dois récupérer le Psyliüm d'Archée. Mais n'oublie pas que plusieurs avant toi ont essayé de le libérer du Cryptiüm d'Éböss dans lequel il est emprisonné et que tous l'ont payé de leur vie. Alors, sois prudent. Tiens, reprends ta pierre. Elle te sera beaucoup plus utile qu'à moi.

— Gardez-la! Je ne peux...

— Reprends-la! coupa la princesse en passant le pendentif au cou de Will. Le Psyliüm d'Archée est le seul espoir qu'il nous reste de vaincre Zôria. Alors, par Brägma, ramène-le!

Will recommanda à Kündo de veiller sur l'état d'Arthélia. Puis il courut en direction de la caverne. Il fallait faire vite et ramener la pierre salvatrice à la princesse avant que son énergie ne s'épuise complètement.

Devant l'entrée, Will eut un bref moment d'hésitation. Mais, en repensant à tous ceux qui comptaient sur lui, il s'engouffra résolument dans la pénombre. N'y voyant presque rien, il sortit son épée et se mit à avancer lentement. Au bout de quelques pas, il discerna au plafond de grosses stalactites de cristal. Sur les murs, des amoncellements de cristaux rosés scintillaient, procurant à Will un éclairage suffisant pour continuer d'avancer.

Soudain, la pierre de la déesse émit une lueur vacillante qui palpita au même rythme que les cristaux. Will, qui progressait en scrutant les parois, eut le sentiment qu'il n'était plus très loin de la dague.

Il croisa un corridor, plus étroit mais mieux éclairé, qu'il emprunta d'instinct. Au moment où il allait atteindre la salle où trônait le Psyliüm d'Archée, un épais écran de cristal se dressa devant lui. Derrière cette barrière translucide, Will distinguait vaguement la magnifique dague qui reposait sur son socle.

Comment vais-je franchir cet obstacle?

Il examina attentivement les murs environnants, en espérant y trouver une faille quelconque. Rien! Le temps filait et Will, qui eut à ce moment une pensée pour la princesse, chassa vite cette image. Il devait garder ses idées claires et trouver une solution pour passer cette étape.

Il ramassa donc une énorme pierre qu'il lança à toute volée contre l'écran. À son grand désespoir, rien n'y fit. Will empoigna alors son épée à deux mains et frappa le mur de cristal. Étonnamment, la cloison s'effondra à ses pieds en un tas d'éclats scintillants. Comment n'y avait-il pas pensé avant? Pourtant, lorsqu'il s'élança pour passer de l'autre côté, son visage vint s'écraser durement contre la paroi de cristal qui s'était reformée devant lui. Stupéfait et contrarié, Will se demanda comment cela était possible.

Loin de se décourager, il abattit encore une fois son épée sur le mur qui s'écroula derechef. Mais dès qu'il fit mine de le franchir, l'écran se reconstitua instantanément. Furieux, Will frappa la vitre de toutes ses forces, mais cette fois en s'écriant :

— Au nom de Brägma, laisse-moi passer!

Devant le mur réduit en milliers d'éclats, Will tendit précautionneusement le bras. Mais rien ne se produisit.

— Enfin! s'exclama-t-il.

Dès qu'il eut enjambé l'obstacle, la pierre de la déesse commença à émettre un curieux bourdonnement. Sur la paroi qui lui faisait face, Will aperçut avec satisfaction le fameux Psyliüm d'Archée. Mais simultanément, un terrifiant spectacle s'offrit à lui. À proximité de l'objet tant convoité, trois hommes avaient été cristallisés en pleine action. Leurs corps étaient recouverts d'une épaisse couche de cristal qui retombait jusqu'au sol, comme de longs glaçons. L'un d'entre eux avait encore le bras tendu en direction de la dague. Leurs visages reflétaient une grande peur. Will en eut un frisson dans le dos. Il avala sa salive.

Oh! Je n'aimerais pas finir comme ça!

Enfin, il respira profondément plusieurs fois de suite et, rassemblant tout son courage, tendit à son tour le bras vers la dague. Alors qu'il allait la toucher, une mystérieuse inscription apparut sur le mur de cristal :

Qui n'a aucune visée égoïste pourra prétendre à la dague sacrée! Seul un cœur pur et pétri d'altruisme pourra libérer le Psyliüm d'Archée de son étreinte séculaire.

Puis, l'inscription disparut.

Dans un moment d'hésitation, Will arrêta son geste. L'instant d'après, il y eut une autre apparition. Cette fois Will pouvait distinguer les visages de Markus et de Jawäd empreints de douleur. Ses amis appelaient à l'aide. Cette vision le convainquit d'agir sans attendre. Fermement persuadé de mériter cette dague, il posa la main sur l'objet tant convoité.

Will fut aussitôt entouré d'un fort courant lumineux.

L'éblouissant tourbillon qui l'entourait s'accéléra tout à coup, lui faisant presque perdre l'équilibre. Enfin, le phénomène s'arrêta.

☽ ✵ ☾

Devant Will défilait maintenant le film sonore des faits historiques entourant l'existence du Psyliüm d'Archée. Il comprit alors que, au moyen de ces images, il revivait avec les gens de cette époque les plus sombres périodes du royaume d'Argöss, connu jadis sous le nom de Terres d'Ozirak ou Terres d'ombres.

Encore un peu étourdi, Will vit de courageux paysans qui, malgré les rumeurs de malédiction qui entouraient l'endroit, avaient décidé d'y ériger leur demeure et d'y cultiver de quoi assurer leur subsistance.

Puis, le tableau changea et Will fut transporté des années plus tard, à une période où les récoltes avaient été abondantes et les habitants plus prospères. Une nuit, une armée de plus de deux cents guerriers, avec à sa tête un sombre personnage nommé Imgöla, s'approprièrent le territoire de Gaspar pour y ériger leur château. Devant cette criante injustice, les sentiments de rage et d'indignation de Will se joignirent à ceux de Gaspar, un homme estimé de tous.

L'usurpateur, qui visait de façon indue la régence du royaume d'Ozirak, accapara les terres des autres paysans. Gaspar décida qu'il fallait se battre. Il leva donc une troupe composée de valeureux volontaires pour lutter contre l'envahissement. Mais dès qu'Imgöla apprit ce que ses détracteurs fomentaient contre lui, il se déchaîna.

Will assista, impuissant, à la capture et à l'exécution publique de tous les braves paysans qui avaient osé se rebeller. Ainsi commença un règne de terreur aveugle. En raison des ténèbres qui précédaient chacun de leurs massacres, les habitants de la région nommèrent la troupe d'Imgöla, l'armée des guerriers de l'ombre. La formation rasait tout sur son passage et supprimait ceux qui avaient le malheur de lui résister.

Malgré tout, d'autres courageux paysans tentèrent de se mobiliser. Mais même si, à l'insu d'Imgöla ils réussirent à augmenter leurs effectifs, à parfaire leur entraînement et même à surprendre à l'occasion quelques guerriers de l'ombre, jamais ils ne purent égaler la puissance de cette armée.

Gardés prisonniers, les quelques survivants de cette dernière attaque renoncèrent définitivement à l'idée de mener une vie meilleure. Certains allèrent même jusqu'à souhaiter la mort comme ultime délivrance.

De tous les habitants d'Argöss, seul Hölvig le brave, qui avait perdu femme et enfants par la faute d'Imgöla, eut le courage de fuir cet enfer.

Un matin de printemps, à l'heure du petit-déjeuner, il se rendit aux bâtiments et, échappant à la vigilance des quelques gardiens encore sur place, réussit à prendre la fuite avec un des chevaux d'Imgöla.

Lorsque l'on constata sa disparition, Othör, le bras droit d'Imgöla, envoya à ses trousses une dizaine de ses meilleurs cavaliers. Pris en chasse, Hölvig fut bientôt rejoint et acculé à une falaise. Il n'eut d'autre choix que de tenter le tout pour le tout en se jetant en bas avec sa monture. Will entendit un des cavaliers s'écrier avant de repartir :

— Venez! La mer Noire aura raison de lui en peu de temps. Nous n'avons plus rien à faire ici.

En bas, prisonnier du terrible tourbillon des profondeurs, Hölvig se battait pour sa survie. Après de longs moments de lutte acharnée, alors qu'il se croyait perdu à jamais, il se sentit porté par une force invisible. Puis par miracle, il parvint dans un ultime effort à remonter à la surface et à regagner péniblement la terre ferme.

Will fut soulagé de le voir sain et sauf. Le paysan remercia Brägma le Tout-Puissant et l'implora de lui donner la force nécessaire pour se rendre jusqu'au royaume voisin, sur les terres du bon roi Lémög. Cette pensée sembla redonner à Hölvig le courage de continuer. Cependant, à cause d'une blessure à la jambe, il mit des jours à atteindre le royaume de Malagösh.

Lorsque le roi Lémög, réputé pour son intégrité, fut informé de la situation qui régnait sur les terres d'Ozirak, il dépêcha six messagers vers les royaumes voisins afin que soit créée de toute urgence une armée pour contrer les guerriers de l'ombre.

Tous les souverains réunirent leurs plus vaillants combattants qu'ils envoyèrent rejoindre les troupes du roi Lémög.

Will assista alors à la terrible bataille qui s'ensuivit. Il ne fallut malheureusement que quelques heures à l'armée des ténèbres d'Imgöla pour écraser les troupes des sept royaumes réunis. Ainsi, toute la contrée fut une fois de plus plongée dans la désolation la plus totale…

15

Une ère nouvelle

Toujours prisonnier du courant lumineux de la dague enchâssée dans le Cryptiüm d'Éböss, Will vit s'animer devant lui une autre tranche d'histoire. L'action, cette fois, se déroulait quelques années plus tard.

La première image fut celle d'un jeune chevalier et sa monture qui filaient à vive allure quand tout à coup, l'animal se cabra violemment. Le cavalier fut désarçonné par son cheval qui venait de voir le sol s'ouvrir devant lui.

L'homme se releva péniblement quand une voix caverneuse se fit entendre :

— Odak, mon brave, j'ai une mission pour toi. Tu devras libérer tout un peuple des forces du mal. Voici que t'est confié le Psyliüm d'Archée. Tu en auras besoin pour t'acquitter de cette noble tâche.

C'est alors que, portée par une force invisible, une magnifique dague descendit du ciel et vint se poser aux pieds du chevalier.

La voix déclara ensuite :

— Au nom de Brägma le Tout-Puissant, délivre le royaume d'Ozirak de l'emprise d'Imgöla et de sa horde guerrière. Pour ce faire, lève une armée composée des cent plus courageux combattants de chacun des sept royaumes réunis avec laquelle tu affronteras les guerriers de l'ombre. Quand tu auras vaincu l'usurpateur, tu rebaptiseras cette contrée du nom d'Argöss, qui signifie lumière.

Will apprit alors que le précieux objet avait été taillé à même le trône du Tout-Puissant Brägma et patiemment sculpté par un demi-dieu à tête mi-humaine, mi-animale. Quand ce personnage, qui ressemblait curieusement à un croisement d'homme et de cheval de mer ailé, termina son œuvre, celle-ci fut déposée sur un socle de marbre, devant le trône de Brägma.

Ce dernier bénit le joyau libérateur avant de le remettre à la déesse Aurora. Celle-ci y incorpora son souffle de lumière capable de vaincre n'importe quel esprit associé aux forces des ténèbres.

Un matin, Odak se réveilla en sursaut. La déesse Aurora se tenait debout à ses pieds en souriant. Elle avait à la main une petite pierre précieuse qu'elle baisa avant de lui remettre.

— Voici la clef qui délivrera mes enfants et fera naître une nouvelle ère de justice et de paix dans le futur royaume d'Argöss!

Puis elle disparut.

Le même jour, Odak fit enchâsser la pierre dans une étreinte dorée et la glissa ensuite à une chaînette qu'il passa autour de son cou. Enfin, le courageux chevalier partit accomplir sa mission.

Il leva donc une armée de sept cents hommes et affronta Imgöla et sa troupe infernale. Au terme d'un furieux combat, l'armée de l'ombre fut enfin anéantie. Au cours de cette bataille, Odak et Imgöla s'affrontèrent en duel. La bataille prit fin quand le prince maléfique fut atteint en plein cœur par le Psyliüm d'Archée. Avant d'être envoyé au royaume des ténèbres, Imgöla proféra cette malédiction :

— Je n'aurai de répit que lorsque j'aurai vengé ma mort! Soyez maudits, toi et tous les tiens!

Ces sombres images s'estompèrent et Will put voir enfin des scènes plus joyeuses. Les habitants du royaume d'Ozirak étaient heureux d'être enfin délivrés de l'emprise du mal. On proclama aussitôt Odak premier souverain. Ce dernier rebaptisa ces terres royaume d'Argöss, comme le lui avait demandé Brägma.

Puis le tableau suivant montra Odak un peu plus tard, qui méditait sur sa destinée. Il fut tiré de ses réflexions par la visite inattendue de la déesse Aurora :

— Odak, pourquoi songes-tu déjà à partir loin de tes fidèles sujets? Ta place est ici dans le pays qui t'a vu naître. Jusqu'à aujourd'hui tu l'ignorais, mais tu es le fils du courageux Hölvig, celui-là même qui a risqué sa vie à plusieurs reprises pour délivrer ce royaume de la tyrannie. Un jour, craignant pour ta survie, Zarélia, ta mère, t'a confié à un marchand ambulant. Ton père a combattu Imgöla ici même sur ces terres. C'est durant cette sanglante bataille qu'il a perdu la vie. Ta mère, hélas! n'avait pas survécu aux atrocités commises par les troupes sanguinaires d'Imgöla.

« À présent, je dois récupérer le Psyliüm d'Archée et le retourner d'où il vient. Il sera scellé dans le Cryptiüm d'Éböss et déposé au cœur du mont Kirfü, où il sera en sécurité pour l'éternité. »

La déesse reprit la précieuse dague et disparut.

☽ ☆ ☾

« Crraaaaaaakkkkk! »

Le Cryptiüm d'Éböss venait de céder. Will, qui tenait maintenant entre ses mains le précieux objet, fut surpris de voir une nouvelle inscription sur le mur de cristal :

> *Will Ghündee a été jugé apte à devenir*
> *le récipiendaire du Psyliüm d'Archée.*
> *Saura-t-il s'en montrer digne?*

Will examina la précieuse dague qui avait suscité tant de convoitise et changé le cours de l'histoire. À son tour, il se questionna :

> *Serai-je capable d'utiliser correctement les pouvoirs de cette dague?*

Will partit au secours de la princesse. Privée des effets bénéfiques de la pierre d'Aurora, Arthélia reposait la tête sur les genoux de Kündo. Quant à son garde, le saignement s'était arrêté et il gisait inconscient à côté d'elle.

— Vite, Will, la princesse ne répond plus!

Sans attendre, Will passa son pendentif au cou de la jeune femme.

Dès qu'Arthélia fut en contact avec la pierre, celle-ci se remit à briller et à émettre son bourdonnement. Enveloppée dans cette douce lumière vaporeuse, la souveraine réagit :

— Kharölas, aide-moi… Je dois ramener la lumière à Argöss.

Elle ouvrit les yeux. Confiant en son rétablissement, Will attendit patiemment à ses côtés. Puis, quand elle sembla se porter mieux, il lui demanda :

— Princesse, que disiez-vous tout à l'heure? Vous avez parlé de Kharölas.

— Kharölas… soupira-t-elle tristement.

— Qui est-ce? demanda Will.

— C'était un vieux sage. Toute sa vie il vécut seul et parcourut ce monde en semant des graines de bonheur là où la vie le conduisait. Et un jour, il arrêta sa course à Argöss et décida de s'y fixer. C'est sur nos terres qu'il s'éteignit. À l'annonce de sa mort, tous les Argössiens sans exception vinrent lui rendre un dernier hommage. Ce jour-là, alors que la foule se massait sur la grande place, une chose étonnante se produisit. Le ciel, qui depuis deux jours était chargé de gros nuages, s'éclaircit et fit place à un soleil radieux. On y vit un signe. C'était comme si le vieux sage avait voulu nous signifier que de là-haut, il continuerait à veiller sur nous, termina la princesse.

— Oh! Comme j'aurais aimé le connaître! lança Kündo.

— C'est quelqu'un qui a eu une grande influence sur votre vie, n'est-ce pas?

— Effectivement. À son contact, j'ai appris ce qu'était la puissance de la foi et l'importance de croire en nous, et aussi qu'il ne faut jamais baisser les bras devant l'adversité.

— Croyez-vous que Kharölas voit de là-haut l'épreuve que nous traversons en ce moment? demanda Kündo.

À peine eut-il posé sa question qu'un radieux rayon de soleil transperça les épais nuages gris et vint se poser sur Arthélia et ses compagnons. Will et Kündo en furent sidérés.

Après quelques minutes de lumière éclatante, le garde du corps sembla remis de sa blessure.

— Le vieux sage veille toujours sur nous! déclara la princesse qui, reconnaissante, leva les yeux au ciel.

Puis se remémorant une chose très importante, elle se tourna vers Will :

— Si tu es ici, devant moi, c'est que tu as réussi à récupérer le Psyliüm d'Archée, non?

— Oui princesse, c'est chose faite, annonça Will en sortant le précieux poignard de sa ceinture.

— Oh! fit Kündo en voyant la dague qui miroitait au soleil. Elle est presque aussi belle que ton épée. Regardez, il y a un profil sculpté sur un côté de la lame.

— Ce symbole représente la partie humaine du visage de Kénöss, précisa Arthélia. Il est le puissant gardien des forces du bien, le demi-dieu à qui Brägma a délégué le pouvoir d'expédier les esprits maléfiques au plus profond des ténèbres. Seul Odak, mon ancêtre, fut trouvé digne de porter cette arme sacrée.

La souveraine s'inclina alors devant Will.

— Relevez-vous, princesse! fit Will, gêné. J'ignore pourquoi le destin m'a conduit jusqu'à vous, mais il en sera fait selon la volonté de Brägma.

— Merci de ta générosité, Will. Cette arme est notre salut. De grâce, ne t'en sépare sous aucun prétexte! Maintenant, si tu le veux bien, rejoignons les peuples amis qui nous attendent sur les terres de Malagösh.

Tous ensemble, ils redescendirent le mont Kirfü et prirent la direction de la forêt de Nhäm.

☽ ✫ ☾

Il leur fallut peu de temps pour atteindre le territoire du prince Rhödem qui bordait la mer Noire. Will s'arrêta face à cette immensité et fixa longuement l'horizon.

— Qu'y a-t-il, Will? s'informa Kündo.

— Rien, fit ce dernier qui revoyait les bouleversantes images dont il avait été témoin à la grotte du mont Kirfü.

— Viens, Will! Nous ne sommes plus très loin de Malagösh, insista la princesse qui menait la marche.

Ils longèrent la mer Noire et traversèrent les basses terres au sol rocailleux. Alors que le jour tirait à sa fin, Will et Kündo commencèrent à ressentir l'inconfort que génère un estomac vide. Curieusement, la princesse Arthélia ne semblait guère ennuyée par ce genre de désagrément.

— Oh, qu'est-ce que j'ai faim! maugréa Kündo.

— Sois patient! On devrait bientôt trouver à manger, assura Will.

Faisant une pause, la princesse annonça :

— Ici, c'est le mont Kërpien. Selon Gaël, on trouverait là-haut une multitude d'arbustes qui produisent de délicieux petits fruits jaunes.

— Eh bien! qu'attendons-nous? demanda Kündo.

Au sommet, on pouvait voir les terres de Malagösh facilement reconnaissables à une multitude de collines et de vallées verdoyantes. Fatigué par cette longue journée de marche, Will s'exclama :

— Je crois qu'il serait sage de passer la nuit ici. Nous repartirons demain à l'aube. Je vais voir autour pour trouver un abri.

— Bien! fit Arthélia. En attendant, Kündo et moi irons cueillir des fruits.

En fouillant les buissons, Will remarqua un petit cratère rocheux dans lequel s'était formée une réserve d'eau d'une limpidité exceptionnelle. Intrigué par les ondulations intermittentes qui venaient en troubler la surface, Will laissa tomber ses recherches et se dirigea vers le bassin.

Alors qu'il se penchait au-dessus de l'eau, celle-ci se brouilla. Puis une image terrifiante apparut. Kündo, la princesse et son garde du corps étaient attaqués par une nuée de gros rapaces au plumage gris foncé. Bouleversé par cette vision, Will partit à toute vitesse rejoindre ses amis.

— Couchez-vous! leur cria-t-il.

Le ciel était couvert de ces affreuses créatures au bec acéré, semblables à d'énormes vautours. En les voyant s'abattre sur ses amis, Will se jeta dans la mêlée. À grands coups d'épée, il avait réussi à exterminer quelques volatiles quand il reçut par-derrière une volée de coups de bec dont un terrible sur le sommet du crâne. Il se retrouva assis par terre, entouré de charognards volants qui se jetèrent aussitôt sur lui. Will tenta de se protéger. De nombreux coups de bec lui déchirèrent profondément les chairs, et les bêtes revenaient sans cesse à la charge.

— Tuez-le et ramenez-moi la dague! ordonna la voix rocailleuse de Zôria.

Bien qu'il commençât à faiblir, Will résistait à l'attaque. Alors qu'il se demandait sérieusement comment il allait s'en tirer cette fois, il se retrouva entouré d'une dizaine de chevaliers en armure.

Leurs étranges montures avaient sur le museau deux cornes dont l'une était plus petite que l'autre. Ces dernières, en plus des griffes acérées qui ornaient leurs quatre pattes, offraient aux Guerlüks un excellent moyen de défense. Comparables à celles d'un hippopotame, leurs oreilles donnaient à leur silhouette chevaline un côté sympathique.

Armés d'arbalètes, les mystérieux chevaliers chassèrent les rapaces volants en projetant sur eux une multitude de petits dards. Un grand nombre de ces volatiles furent ainsi exterminés, tandis que les autres fuyaient tout comme l'énorme corneille qui, avant de disparaître, vociféra ses habituelles injures et promesses de retour.

— Ça va, princesse? s'informa l'un des chevaliers en sautant en bas de sa monture.

— Prince Rhödem! Vous êtes arrivé juste à temps! lança Arthélia.

— Mes hommes et moi faisions une reconnaissance dans ce coin quand nous avons aperçu l'attroupement de volatiles au sommet de la colline et entendu des cris, déclara le prince à la longue chevelure blonde et au regard perçant.

Non loin de là, Will gisait sur le sol, son épée à ses côtés. Son épaule et son bras gauches étaient couverts de profondes blessures. L'un des chevaliers, un colosse aux traits rudes et à la chevelure et à la barbe rousses, vit l'état dans lequel se trouvait Will et interpella son souverain.

Rhödem s'approcha. En constatant la gravité des blessures de Will, il lui dit :

— Eh bien, jeune homme, tu peux t'estimer heureux de t'en être sorti vivant!

Arthélia déchira aussitôt des bandes de tissu dans le bas de sa robe et épongea délicatement les plaies de Will. Elle lui fit ensuite un pansement bien serré qui stoppa l'épanchement sanguin et fit aussitôt se cicatriser ses blessures. Will jeta à la princesse un regard reconnaissant :

— Princesse, mais comment avez-vous...?

— Peu importe, chevalier Ghündee! coupa la souveraine.

Will fut aussi surpris par cette guérison soudaine que par ce titre de chevalier dont venait de l'affubler la princesse.

— Mais je ne suis pas…

— Reposez-vous, chevalier Ghündee, l'interrompit-elle de nouveau en mettant deux doigts sur la bouche de Will.

Bradök, le chevalier à la chevelure flamboyante, ramassa l'épée du Grand Esprit, l'examina et la tendit au prince Rhödem.

Ce dernier, fort impressionné par la beauté de l'arme, la fit tournoyer de façon fort habile afin d'en vérifier le poids et la maniabilité.

— Où avez-vous trouvé une pareille lame? demanda le seigneur de Malagösh.

— Cette épée appartient au monde des esprits, prince Rhödem. Elle m'a été confiée par la déesse Aurora.

— Aurora! s'exclama le prince.

Il remit l'épée à Will et s'inclina cérémonieusement devant lui, aussitôt imité par ses neuf chevaliers.

Will, gêné par cette soudaine marque de considération, demanda au prince de l'aider à se remettre sur pied. Il déclara ensuite :

— Prince Rhödem, j'ai promis à la princesse de veiller sur elle et de l'aider à reconquérir son royaume.

Puis Will montra sa dague, ce qui créa un extraordinaire effet de surprise. On entendit des chuchotements parmi les chevaliers.

— N'ayez crainte. Le chevalier Ghündee a été trouvé digne de libérer le Psyliüm d'Archée, ce qui en fait son gardien, intervint Arthélia.

Et elle enchaîna :

— Prince Rhödem, vous n'êtes pas sans connaître les pouvoirs attribués au Psyliüm d'Archée et la tâche qui incombe à celui qui en a la garde, n'est-ce pas?

— Non, princesse. Et nous savons que notre devoir est de protéger le porteur de la dague.

Après un court silence, le prince se tourna vers ses compagnons d'armes et leur dit d'un ton solennel :

— Au risque de nos vies, nous devons protection au jeune chevalier détenteur de la clef qui a le pouvoir de délivrer Argöss.

— Sur notre honneur, nous jurons obéissance et protection! clamèrent les neuf chevaliers.

— Venez! ordonna Rhödem.

Il fit monter la princesse Arthélia avec lui alors que Will, Kündo et le garde prenaient place derrière trois des chevaliers du prince. Tous repartirent en direction du point de ralliement, près du mont Thérös sur les terres de Malagösh.

16
Un curieux messager

La pénombre s'installait doucement. Les voyageurs étaient arrivés au point de ralliement des troupes, c'est-à-dire au pied du mont Thérös. Devant l'impressionnant regroupement de chevaliers, la princesse constata avec joie qu'ils étaient fort nombreux à s'être ralliés à sa cause. Pourtant, elle remarqua que deux des peuples alliés manquaient à l'appel.

— Prince, où sont les Norvëgs et les Maltïshs? Ne devaient-ils pas nous rejoindre ici? s'inquiéta-t-elle.

— N'ayez crainte, Altesse. Ils sont en route. Nous avons reçu de leurs nouvelles ce matin par l'entremise du Roucouleur des marais, précisa Rhödem en montrant du doigt un étrange volatile installé dans un arbre.

Mis à part le fait qu'il se tenait suspendu la tête en bas, l'allure générale du Roucouleur était semblable à celle d'une chouette aux longues oreilles pointues. Son plumage blanc tacheté de rouge donnait un peu l'impression que l'oiseau avait attrapé la variole. Il se tenait là, les yeux grands ouverts. Sur le moment, son calme désarmant rappela à Will le sage Huzak, dont les précieux conseils lui auraient été bien utiles en ces moments difficiles.

— Vous devez être affamés! fit Rhödem. Nous avons tout ce qu'il faut pour vous restaurer.

Puis il ordonna à son compagnon d'armes :

— Bradök, accompagne-les au camp et veille à ce qu'on leur donne à manger. Ensuite, trouve-leur une bonne monture et un endroit décent où dormir.

Le prince ajouta à l'intention d'Arthélia :

— Vous aurez besoin d'une bonne nuit de sommeil, car demain à l'aube nous partirons pour Argöss.

— Mais ne devrions-nous pas attendre nos frères du Nord avant d'attaquer? s'inquiéta la princesse.

Arthélia connaissait bien l'étonnante habileté des Norvëgs et des Maltïshs et la puissance de leurs armes. Elle savait que les guerriers nordiques allaient leur être indispensables pour vaincre les spectres de l'armée de l'ombre.

— Malheureusement, nous n'avons plus le temps d'attendre, princesse. Comme vous le savez, un grand nombre de créatures viennent grossir chaque nuit les rangs de l'ennemi. Alors chaque minute compte. Nos frères Norvëgs et Maltïshs nous rejoindront près de la cité. De plus, étant donné que nous devons contourner les alpes maudites pour arriver à Argöss, qui sait? nos alliés seront peut-être sur place avant nous. Maintenant, il faut vous reposer.

Bradök conduisit Will, Kündo, la princesse et son garde du corps dans leur campement où des hommes se ravitaillaient et discutaient. Ils s'installèrent avec eux autour d'un feu où cuisait un animal semblable à un phacochère. Une fois bien repus, ils prirent place sous la tente que Bradök avait fait libérer pour eux.

☾ ✩ ☽

Comme cela lui arrivait souvent les veilles de jours importants, Will ne trouvait pas le sommeil. Il s'adossa donc à un arbre et médita sur la journée du lendemain.

— Eh, chevalier, tu ne dors pas? lança Bradök.

Puis, se rapprochant, il ajouta sur un ton grave et compatissant :

— J'avoue que je n'aimerais pas être à ta place.

— On dirait que j'ai le don pour ce qui est de me retrouver dans des situations dangereuses, soupira Will.

— Je ne peux prendre ta place, jeune Will, mais sois assuré de ma protection et de mon total dévouement! affirma le solide gaillard.

— Bradök, cesse donc d'ennuyer le chevalier Ghündee, plaisanta Rhödem, en posant une main amicale sur l'épaule de son fidèle second. Va plutôt dormir.

Puis s'adressant à Will, il dit :

— Demain, nous attaquerons la cité et éliminerons ces créatures maléfiques. Alors, chevalier, un bon conseil, reposez-vous! Vous aurez besoin de toutes vos énergies.

— Vous semblez bien sûr de la victoire, répliqua Will.

— N'oubliez pas que notre troupe sera formée des meilleurs combattants des sept royaumes. Ce sont tous de valeureux guerriers dont la motivation première est de débarrasser le royaume d'Argöss de Zôria et des créatures qu'elle a ramenées des ténèbres.

☽ ☆ ☾

Will poursuivit sa réflexion un long moment. En remâchant les paroles du courageux Rhödem, il ne put s'empêcher d'évoquer tous ceux qu'il aimait. S'ils étaient toujours en vie, Markus et Jawäd devaient espérer son secours. Revoyant l'expression de douleur sur leurs visages, Will implora le Grand Esprit et son ami Gaël de lui donner la force nécessaire pour se montrer à la hauteur de sa mission.

Soudain, une voix nasillarde résonna dans le noir :

— Tu parais bien tourmenté, mon brave! Je sens d'ici les pensées qui se bousculent dans ta tête.

En levant les yeux, Will aperçut le curieux messager toujours suspendu la tête en bas.

— Est-ce toi qui m'as parlé? demanda Will.

— Qui veux-tu que ce soit! L'arbre? gloussa le volatile.

— J'ignorais que par ici les oiseaux pouvaient parler.

— Tu es le seul à comprendre mon langage, parce que tu portes la dague sacrée. Celle-ci confère à son porteur la capacité de communiquer avec toutes les espèces animales de ce monde.

— Tu me rappelles quelqu'un que j'ai connu et aimé.

— Je sais à qui tu fais allusion. Les chevaliers ne me croient bon qu'à transporter leurs messages, mais j'ai d'autres talents.

Puis il reprit :

— Je me présente : je suis Wadö, le messager du prince Rhödem. C'est un homme courageux et droit, quoiqu'un peu têtu par moment. Tu peux te fier à lui ainsi qu'à Bradök, son second. Ce dernier a un grand cœur, mais surtout, une force incroyable. Tu devrais le voir à l'œuvre!

— Tu sembles bien connaître ceux qui t'entourent!

— Ce n'est pas parce que, contrairement à ton ami le Huzak, je me tiens la tête en bas que je suis un idiot pour autant!

— Mais... Comment peux-tu connaître le nom de mon ami? s'étonna Will.

— Décidément, tu ne m'écoutes pas quand je parle! Je t'ai dit que je pouvais lire dans tes pensées. D'ailleurs, tu es le premier avec qui j'arrive à le faire avec autant de précision. La dague crée autour de toi un champ magnétique lumineux que nous, Roucouleurs des marais, pouvons percevoir avec nos attributs d'oiseaux de nuit.

— Ahhhhhh, bon! bâilla Will. Je crois que je vais dormir un peu si tu le permets.

— Bonne idée! Repose-toi bien, car la journée de demain pourrait être ta dernière, lança l'espiègle volatile avant de s'envoler dans la nuit pour sa chasse nocturne.

Mais Will, qui avait déjà succombé au sommeil, n'entendit pas les dernières paroles de Wadö.

☽ ☆ ☾

Un peu avant l'aube, Will et ses compagnons furent réveillés par Rhödem et ses hommes.

— Allez, debout! Nous partons dans une demi-heure! Il faut manger et préparer votre monture pour le voyage, ordonna Bradök.

Will profita d'un moment d'isolement pour demander à la princesse :

— Princesse, pourquoi m'avez-vous attribué le titre de chevalier, hier?

— Tu vois, ici il n'y a que les hommes reçus à l'ordre du Glaive d'or qui sont des chevaliers et seuls les chevaliers ont le droit de se battre. Alors pour éviter tout malentendu et t'assurer de l'appui de tous ces braves, j'ai jugé bon de te nommer chevalier. Tu as d'ailleurs déjà la stature d'un homme, aussi ton courage et ton adresse à manier l'épée m'ont prouvé plus d'une fois que tu surpassais de loin bon nombre d'entre eux. Alors tu mérites largement cet honneur, Will. Cependant, garde-toi bien de leur mentionner ton âge.

— Ce sera comme vous voudrez.

Après le petit-déjeuner, la troupe s'ébranla. Il fallait maintenant prendre la direction du royaume d'Argöss et aller affronter Imgöla et son armée de créatures maléfiques.

— Sois prudent lorsque tu seras dans l'antre de la bête! lança Wadö à l'intention de Will.

— Ne t'inquiète pas pour moi, s'exclama Will, sur le point de grimper sur sa monture.

Il se sentait rassuré à la vue de cette imposante légion de chevaliers qui s'apprêtait à chevaucher à ses côtés.

— Tu me prends avec toi? lui demanda Kündo.

— Bien sûr. Viens! fit Will en lui tendant la main.

Puis ce dernier se tourna sur sa droite :

— Ça va, princesse? Pas trop nerveuse?

— Non, ça va. Je suis seulement un peu fébrile à l'idée de reconquérir mon royaume et de redonner à mes sujets tout ce qu'on leur a dérobé.

— Cela ne saurait tarder, lança Rhödem, confiant.

— Espérons que les Norvëgs, les Maltïshs et mon brave Dhövik y seront eux aussi, murmura la princesse pour elle-même.

Après une longue chevauchée, les troupes s'arrêtèrent enfin au pied des alpes maudites pour accorder une pause à leurs montures.

— Pied à terre, chevaliers! s'écria Rhödem à l'intention des quatre cents guerriers dont il avait la charge.

Il ajouta à l'intention de son second :

— Bradök, envoie des hommes rejoindre chacun des souverains. Qu'ils les convient à venir me retrouver ici. Nous devons préparer le plan d'attaque.

— Kündo, va faire boire notre monture et celle de la princesse, veux-tu? demanda Will.

— D'accord, fit Kündo, quelque peu réticent à l'idée de se retrouver seul avec les Guerlüks. En sa présence, les bêtes semblaient ressentir d'instinct le prédateur qui sommeillait en lui. Elles étaient donc très nerveuses et, pour Kündo, plutôt difficiles à mener.

Bientôt, les cinq chefs eurent rejoint Rhödem qui les attendait accompagné de la princesse et de Will. Autour d'eux de nombreux chevaliers s'étaient attroupés pour assister en silence à la discussion des chefs.

— Alors, prince Rhödem, quel est votre plan? s'informa Brokiäm, le robuste souverain du peuple des Nivites.

Le prince répondit en regardant Arthélia :

— Avant d'établir un plan précis, je crois qu'il serait bon de demander conseil à Son Altesse. Elle connaît mieux que quiconque les forces et les faiblesses de l'ennemi.

La princesse prit la parole :

— Je peux déjà vous dire que nous ne pourrons pas accéder à la cité par l'entrée principale. Cette voie est constamment surveillée par des créatures de Zôria. Ces bêtes ont d'ailleurs une carapace épaisse et très dure qui les rend pratiquement invulnérables. Elles sont si robustes que je doute que vos armes soient assez puissantes pour les terrasser.

— Attaquons-les tout de suite et finissons-en! s'écria avec empressement un chevalier qui suivait la conversation.

— Il a raison, mon prince, nous devons agir avant la nuit. Sinon, qui sait combien ils seront demain? renchérit Bradök.

— Allons, mes frères, du calme! D'abord, il faut les surprendre et pour cela, nous devons avant tout établir une stratégie. Il faut à tout prix les empêcher de fuir la cité. Nous éviterons ainsi qu'ils n'aillent se reproduire ailleurs, lança Rhödem.

— Mes amis, intervint Arthélia, n'oubliez jamais que tant que Zôria ne sera pas terrassée par le Psyliüm d'Archée et envoyée au Golgöva, elle demeurera extrêmement dangereuse. Alors, je suggère que vous formiez un groupe avec quelques-uns de vos plus valeureux guerriers pour nous escorter pendant que je vous conduirai à travers le passage secret, si celui-ci est toujours accessible bien entendu. C'est la meilleure façon d'entrer au palais et de surprendre la sorcière et ses serviteurs. Nous devons réussir cette incursion, sans quoi mon royaume n'a aucune chance de renaître.

— Mais c'est là pure folie! lança Rhödem. Il est hors de question que vous risquiez votre vie en vous immisçant délibérément au cœur du grand tumulte que va causer notre attaque surprise.

— Princesse, vous ne pouvez prendre un tel risque, renchérit Will.

Puis Rhödem enchaîna :

— Vous resterez plutôt cachée dans la forêt et attendrez le signal de la victoire. J'affecterai quelques-uns de mes meilleurs hommes à votre protection.

— Si je ne réintègre pas incessamment le palais, je suis vouée à une mort certaine. Comme vous le savez, j'ai besoin pour survivre de la source lumineuse que me procure l'étoile de Yhösha. Alors, si je dois mourir, aussi bien que ce soit dans ma cité!

— J'admire votre courage, lança Rhödem, surpris par le cran de la jeune femme.

— Il n'y a pas de plus grand courage que celui dont vous et vos hommes faites preuve aujourd'hui en voulant combattre le terrible fléau qui s'abat sur mon royaume. C'est plutôt vous et vos preux chevaliers qui me redonnez courage et espoir!

Après un court silence, elle reprit :

— Moi, Arthélia, souveraine d'Argöss, je promets solennellement qu'après la victoire, le nom de chaque chevalier ici présent sera gravé à jamais sur les murs de la cité. Vous serez toujours accueillis en héros dans mon royaume!

— Pour la princesse, nous vaincrons! clamèrent en chœur les chevaliers.

Rhödem fit un geste de la main pour que le silence revienne.

— Altesse, quel valeureux chevalier vous eussiez fait! dit le prince Rhödem en lui lançant un regard sans équivoque.

— Je sais! lâcha-t-elle avec légèreté.

Depuis sa rencontre avec Arthélia, Will avait remarqué ce côté fonceur qu'elle affichait parfois et le courage qu'elle démontrait devant l'adversité. Ce comportement ne semblait pas déplaire au prince Rhödem.

— Chevalier Ghündee, intervint ce dernier, la princesse Arthélia m'a raconté que, pour la protéger, vous aviez déjà combattu certains de ces monstres.

— C'est exact, répondit Will.

— Y a-t-il quelque chose que nous devrions savoir à leur sujet? Ont-ils un point faible ou au contraire un côté particulièrement invulnérable?

— Pour ce qui est des scarabées géants, il faut se méfier de leurs redoutables pinces. Nos épées n'ont d'ailleurs aucun effet sur elles. Pour occire ces bêtes, il faut les atteindre derrière la tête, là où finit leur dure carapace. Juste ici, fit Will en montrant la base de sa nuque.

— Et qu'en est-il pour les autres créatures? intervint le souverain des Nivïtes.

— Il y a aussi des Mandrökes, les guerriers d'Imgöla. Ces impitoyables combattants font une fois et demie notre taille. Bien que ces esprits vengeurs soient munis d'une armure presque sans faille, ils ont quand même eux aussi un point faible.

— Dites-nous! insista Rhödem.

— Ils portent sur le devant du corps un énorme plastron métallique qui les protège. Mais on peut les terrasser en plantant son épée à l'endroit exact où se termine cette protection. Ce point est petit, cependant on peut l'atteindre par un coup précis. C'est un peu comme pour les scarabées, il faut enfoncer profondément la lame et remonter vers le haut pour toucher leur centre vital.

Un lourd silence plana sur l'assemblée. Le prince Rhödem prit enfin la parole et sur un ton ferme, il demanda :

— Chevaliers, qu'est-ce qui nous différencie de ces monstres?

— Honneur, courage, force et combativité! clamèrent ces derniers.

— Alors, chevaliers, croyez de toutes vos forces à la victoire et nous reprendrons la cité d'Argöss! clama le vaillant Rhödem.

— Tous pour la princesse! s'écrièrent les troupes, gonflées à bloc.

— Préparez-vous, mes frères. L'heure du départ approche.

Cette fois, Rhödem s'adressa aux autres souverains :

— Compagnons, il serait peut-être plus sage d'attendre les Norvëgs et les Maltïshs. Mais d'un autre côté, je crois préférable d'en finir avec ces monstres avant l'obscurité. Je vais donc envoyer le Roucouleur des marais à la rencontre des deux souverains manquants. Dans une missive, je leur ferai état de notre position et leur donnerai rendez-vous au cœur de la forêt Verte.

— Bien, fit Brokiäm. Rassemblez vos hommes, nous partons!

C'est ainsi que les troupes reprirent la direction d'Argöss.

17
L'embuscade

Avant de repartir, le prince Rhödem siffla Wadö, son messager, qui vint aussitôt s'agripper à son bras… la tête en bas. Le prince attacha à l'une de ses pattes un petit tube dans lequel il avait glissé un message à l'intention des chefs des deux royaumes du Nord.

Arthélia s'adressa à Rhödem :

— Prince, je ne suis pas rassurée. Il me semble que si nous attendions les Norvëgs et les Maltïshs avant de continuer notre route vers Argöss…

— Princesse, coupa Rhödem, nous avons déjà eu cette discussion! De grâce, ayez confiance! Nous vous rendrons votre royaume.

Dès qu'il eut donné les directives et les recommandations d'usage à Wadö, le prince leva le bras et le volatile s'envola.

Après un bref regard en direction de son maître, Bradök ordonna :

— En selle, compagnons, rejoignons les autres!

— Venez, princesse, reprit Will. Ne traînons pas ici.

La voyant désemparée par la rebuffade du prince Rhödem, Will tenta de la réconforter :

— Princesse, je comprends vos inquiétudes. Mais je crains que le prince ne les perçoive comme un manque de confiance. Cela le blesse, j'en suis certain, d'autant plus que je le soupçonne d'être amoureux de vous.

— Le prince, amoureux de moi? dit la princesse pour elle-même.

Puis elle reprit, à l'intention de Will :

— Merci de tes bons conseils, Will. Je vais tâcher de faire plus attention.

— Maintenant, nous devons partir, déclara ce dernier en invitant Arthélia à se mettre en selle.

☽ ☆ ☾

Wadö volait en direction de l'armée des chevaliers nordiques lorsqu'il fut soudain pris en chasse par quatre Faucons plongeurs. Le Roucouleur des marais eut beau accélérer, faire des pirouettes acrobatiques, freiner brusquement, piquer vers le sol, remonter... il eut tôt fait de se trouver à portée de serres de ses poursuivants.

— Attrapez-le et tuez-le! ordonna l'un des rapaces. Il ne doit absolument pas passer!

Aussitôt, les Faucons se ruèrent sur lui. Wadö plongea brusquement et se mit à voler presque au ras du sol, entre les arbres. Terrorisé comme jamais auparavant, le pauvre messager crut tout à coup pouvoir enfin semer ses assaillants en pénétrant dans une partie plus dense de la forêt. Mais ces derniers continuèrent à le traquer de plus belle jusqu'au moment où, incapable de stopper son élan, Wadö vint donner violemment contre une énorme main qui se saisit de lui. Le sinistre colosse en armure le considéra un instant.

— Je t'ai eu enfin, sale petit mouchard! grogna le Mandröke. Puis il resserra son étreinte fatale dans un sinistre bruit d'os broyés.

— Bien joué, Imgöla! lança Zôria qui, sous l'apparence d'un Faucon plongeur, tournoyait au-dessus de son complice.

— Ouais... c'est ça. Ton tour viendra... marmonna pour lui-même le géant de fer.

Imgöla lâcha sa prise et, suivi de ses comparses, disparut dans la forêt avec la précieuse information prélevée sur le messager.

☾ ☆ ☽

Rhödem et son imposante troupe continuaient leur progression en direction du royaume d'Argöss. Après une silencieuse chevauchée, ils en franchirent les frontières et s'arrêtèrent en bordure de la forêt Verte, non loin de la cité. L'absence des Norvëgs et des Maltïshs venait renforcer les craintes de la princesse et déstabiliser quelque peu les chevaliers qui s'attendaient à retrouver leurs alliés au point de rencontre.

— Puisque nos frères du Nord ne sont pas au rendez-vous, nous devrons nous passer d'eux! décréta Rhödem, visiblement déçu. Cependant, je suis convaincu que nous sommes assez nombreux pour...

— Alerte! cria un des archers du prince Brokiäm. Nous sommes attaqués par-derrière!

— À vos armes, chevaliers! s'écria Rhödem en voyant une légion d'énormes termites et de scarabées géants jaillir du sol et s'avancer vers eux.

Les chevaliers se lancèrent courageusement à l'attaque. Mais devant l'invulnérabilité des monstres, ils furent contraints de retraiter vers la forêt, où certains – dont le garde du corps de la princesse – tombèrent dans les pièges installés par Imgöla et ses sbires.

Arthélia, en proie à la panique, s'approcha jusqu'au bord du trou où gisait son fidèle serviteur, qu'un pieu effilé traversait de part en part.

— De grâce, princesse, restez près de nous! s'écria Will. Nous ne pouvons plus rien pour lui, sauf honorer sa mémoire.

— Chevalier Ghündee, je vous confie la princesse Arthélia, lança Rhödem avant de repartir au combat.

Le piège imaginé par Rhödem et ses hommes se refermait sur eux. Le prince soupçonna que son messager avait été intercepté par l'ennemi.

L'armée des cinq souverains fondait sous les charges répétées des monstres des ténèbres. En peu de temps, Rhödem et les autres chefs de clans perdirent le quart de leurs effectifs.

Mais tous continuaient à se battre vaillamment. Le prince de Malagösh, très adroit dans le maniement de l'épée, réussit à force d'adresse à tenir tête à ses assaillants. Il terrassa les scarabées qui l'entouraient en les atteignant de son épée juste derrière la tête, comme l'avait conseillé Will.

Malgré leur armure, plusieurs braves chevaliers eurent les jambes broyées par les pinces des scarabées. Will et les hommes assignés à la protection de la princesse Arthélia virent soudain surgir deux Mandrökes. Ceux-ci accouraient vers eux à grandes enjambées en renversant tous ceux qui se trouvaient sur leur chemin. C'est à contrecœur que Will laissa la princesse et Kündo derrière pour tenter d'attirer à lui les spectres en armure. Son épée bien en main, il provoqua le premier qui se présenta. Le Mandröke lui décocha un formidable coup de poing que Will esquiva habilement. Profitant du déséquilibre de son opposant, Will le pulvérisa en enfonçant son épée sous le plastron de sa cuirasse. Pendant ce temps, l'autre Mandröke s'apprêtait à le frapper par-derrière.

La princesse s'écria :

— Will, derrière toi!

En se retournant, ce dernier vit le géant qui le menaçait tomber raide mort à ses pieds. Le coup précis du fidèle Bradök venait de le foudroyer.

— Merci, Bradök! lança Will.

— C'est tout naturel, chevalier Ghündee!

Le prince Rhödem vint prêter main-forte à Will et à Bradök avant qu'ils ne se retrouvent complètement encerclés par les créatures de la sorcière. Sous le regard admiratif de ses compagnons d'armes, Will eut raison de plusieurs de ces monstres avec des coups d'épée bien placés.

Will revint alors auprès de Kündo et de la princesse. Pendant ce temps, le prince, aux prises avec un homme-termite aux dards acérés, ne vit pas venir le scarabée derrière lui. Will trancha la pince qui menaçait Rhödem et acheva le gigantesque cafard d'un geste précis qui le pulvérisa instantanément.

Chaque fois que Will terrassait un adversaire, les pierres précieuses incrustées dans la hampe de l'épée divine scintillaient, lui rappelant l'indéniable présence du Grand Esprit à ses côtés. Rhödem, qui s'était adroitement débarrassé de son adversaire, constata en se retournant que Will venait de le sauver. Il inclina brièvement la tête en signe de remerciement.

— Chevalier Ghündee, vous êtes jeune mais fort efficace, armé de cette fabuleuse épée.

Ce à quoi Will répondit par un léger hochement de tête tout en relevant sa garde.

— Prince, nous ne pourrons plus tenir longtemps! intervint alors un éclaireur venu au rapport. Deux autres hordes de monstres s'amènent en renfort, ayant à leur tête des hommes-serpents armés de lances et de haches.

— J'ai même vu quelques chevaliers aux prises avec des colosses à tête de sanglier armés de gourdins cogneurs. Nos boucliers ne suffisent plus à nous protéger! renchérit un des chevaliers de Brokiäm arrivé sur ces entrefaites.

Le prince Rhödem regarda avec consternation ses braves guerriers tenter de se défendre contre les assaillants qui arrivaient de partout. Le découragement était palpable. Pour la première fois, un certain désarroi envahit la troupe qui luttait maintenant pour sa survie.

Puis, alors que les valeureux combattants sentaient leur fin imminente, leurs attaquants se mirent à s'écrouler les uns après les autres. D'abord surpris, les chevaliers comprirent vite ce qui arrivait aux créatures de Zôria. Elles avaient été terrassées par de longues et minces aiguilles qui s'insinuaient partout sous les carapaces et les cuirasses. Des sifflements fusaient de tous les côtés.

— Les Norvëgs et les Maltïshs sont là! s'écria avec soulagement un cavalier.

Les chevaliers nordiques arrivaient à la rescousse de leurs compagnons.

La plupart des monstres furent exterminés, ne laissant sur le terrain que quelques adversaires difficiles à atteindre. Mais Will, le prince Rhödem et ses frères d'armes les éliminèrent jusqu'au dernier.

Durant cet échange, Will avait pu constater l'efficacité des guerriers Norvëgs et Maltïshs. Équipés de leurs Hidärks en forme de sceptre, ils projetaient avec une précision incroyable des dards trempés dans du venin de Crypton malicieux. À peine quelques minutes leur avaient suffi pour mettre les attaquants hors d'état de nuire. Il ne restait plus, dans la forêt Verte, que les chevaliers des armées unifiées – les quelques créatures encore vivantes de la sorcière s'étant repliées vers la cité.

— Heureux de vous voir, prince Rhödem! lança un colosse à dos de Guerlük.

— Grâce à vous, roi Göliak, nous sommes sauvés, déclara Rhödem en inclinant la tête en signe de reconnaissance.

— Altesse, vous voilà enfin! s'exclama la princesse on ne peut plus soulagée.

— Ma chère Arthélia! Mais, dis-moi, que fais-tu au beau milieu de ce champ de bataille? s'étonna le nouvel arrivant qui, malgré sa barbe grisonnante, était encore un grand et vigoureux chevalier.

— J'ai bien essayé de l'en dissuader, lança Rhödem, mais vous la connaissez...

— Chère enfant! Tu me rappelles tellement ton père, dit Göliak.

— Altesse, je tiens à vous présenter le chevalier Ghündee, lança la princesse. Il est le gardien du Psyliüm d'Archée.

— Chevalier Ghündee, fit le souverain des Norvëgs, nous allons faire tout ce qui est en notre pouvoir pour que vous réussissiez à envoyer Zôria et ses complices croupir dans les profondeurs du Golgöva.

— J'ai été fortement impressionné par votre puissance de frappe, roi Göliak, répondit Will. Sans rien enlever au prince Rhödem et à ses valeureux chevaliers, je comprends à présent pourquoi la princesse tenait tant à votre présence.

— Merci, jeune chevalier!

Puis se tournant vers Rhödem, Göliak reprit :

— Il faut vite profiter de cette accalmie pour nous replier et faire transporter les blessés à Zörgül, où les Zörgs prendront soin d'eux. Regroupons les hommes encore aptes au combat et formons une seule armée. Allons, confiance!... Nous reprendrons la cité d'Argöss. Je vous en donne ma parole!

— Mais dites-moi, demanda Rhödem, avez-vous reçu le message que je vous ai fait parvenir?

— Non. C'est un de mes hommes, envoyé en éclaireur, qui est venu nous avertir que votre armée était tombée dans une embuscade. Nous avons donc forcé l'allure pour venir vous prêter main-forte.

☽ ✩ ☾

— Princesse, vous êtes en vie! Oh, merci Brägma! s'écria une voix qui retentit derrière un attroupement d'imposants chevaliers.

En se retournant, Arthélia aperçut la petite silhouette de son protégé qui cherchait à se frayer un chemin entre les guerriers nordiques.

— Dhövik, te voilà! J'ai eu si peur que ces monstres ne te capturent avant que tu puisses alerter nos amis, lança Arthélia.

— J'ai fait le plus vite possible, Votre Altesse! Mais nous avons dû nous arrêter sur le chemin du retour pour aider des Zörgs qu'on attaquait. Les pauvres sont pratiquement sans défense. D'ailleurs, plusieurs d'entre eux avaient déjà été dévorés vivants. Nous sommes arrivés juste à temps pour éviter aux autres de subir le même sort, termina Dhövik.

C'est alors qu'il remarqua la présence de Will.

— Mais je te connais, toi! dit-il. Ça me revient! Nous nous sommes rencontrés au pied du mont Unük. C'est bien cela?

— Effectivement, acquiesça Will.

— Que fais-tu ici? Comment t'es-tu retrouvé mêlé à tout ça?

— Le chevalier Ghündee, qui m'a sauvé la vie, est le gardien de la dague sacrée, précisa la princesse.

— Le gardien du Psyliüm d'Archée! s'étonna Dhövik. Mais comment feras-tu, toi qui n'es pas familier avec ce monde?

— C'est un courageux chevalier, coupa Kündo.

— Et lui, qui est-ce? s'informa Dhövik.

— Je vous présente mon ami Kündo, répondit Will. Nos routes se sont croisées dans la forêt Verte alors qu'il fuyait Zôria. Cette sorcière a tenté de faire de lui un monstre capable de supprimer la princesse.

— Mais, Votre Altesse… s'inquiéta subitement le vieil érudit.

— Il n'y a rien à craindre, Dhövik. Kündo est un brave garçon, il ne saurait me faire du mal. C'est d'ailleurs à cause de son grand cœur que la cruelle expérience de la sorcière a échoué, répondit Arthélia en posant délicatement sa main sur l'épaule de l'enfant.

— En selle! s'écria Göliak. Il n'y a pas de temps à perdre! Nous nous replions en direction des alpes maudites.

18
L'étonnant Mirädor

L'armée des sept royaumes reprit la route dès que les blessés graves eurent été envoyés à Zörgül. Les Zörgs guériraient leurs blessures à l'aide de cataplasmes de plantes aquatiques aux propriétés médicinales étonnantes.

Dhövik, à dos de Zébriüs, accompagnait Will qui suivait la troupe. Quand le vieil homme avait appris que Will était le porteur du Psyliüm d'Archée, cela avait éveillé sa curiosité. Il profita donc de ce moment un peu particulier pour demander à voir la dague sacrée. Will acquiesça.

— Will, tu as été trouvé digne de libérer le Psyliüm d'Archée. Sais-tu qu'avant toi un seul homme a obtenu le privilège d'en être le gardien?

En contrepartie, la tâche qui t'incombe est grande et périlleuse. En es-tu bien conscient?

— Oui, répondit Will.

— En fait, si tu as survécu jusqu'à maintenant, c'est sûrement que Brägma est avec toi. Je suis confiant. Tu réussiras à vaincre les forces du mal qui sévissent ici actuellement.

— Votre confiance m'honore, Dhövik. Je m'efforcerai de m'en montrer digne.

Les deux cavaliers n'échangèrent aucune autre parole durant tout le reste du parcours, ce qui permit à Will de se replonger dans ses pensées.

$$\text{☾ ☆ ☽}$$

De douloureuses images vinrent de nouveau troubler la quiétude de Will. Cette fois, il revivait mentalement son terrible affrontement avec Malgor. Il se rappela combien il avait été ardu de vaincre le sorcier. Ces souvenirs étaient si pénibles que pendant un instant, ils l'ébranlèrent au point de lui faire douter de ses capacités à vaincre Imgöla. Lui et ses acolytes paraissaient aux yeux de Will plus redoutables encore que ne l'avaient été Malgor et ses créatures. Quant à Zôria, bien qu'elle apparût sous forme de spectre, ses capacités de transformation la rendaient tout aussi dangereuse que le sorcier.

Enfin, les paroles de Gaël revinrent à l'esprit de Will : « Le mal restera toujours le mal, quelle que soit la forme qu'il revêt. » Et Will se rappela que, malgré les pires doutes qui l'avaient assailli lors de sa lutte contre Malgor, il avait donné le meilleur de lui-même et, ce faisant, il avait réussit à le vaincre. Cette pensée lui redonna confiance et il décida qu'à partir de cet instant, il garderait la foi en Celui qui gouverne et qui voit tout.

☽ ☆ ☾

— Repos, chevaliers. Nous nous arrêtons ici, s'écria Göliak.

Ils étaient arrivés au pied des alpes maudites.

— Venez, prince Rhödem! Il faut préparer un plan d'attaque, lança Brokiäm.

Les chefs des cinq royaumes ainsi que certains dirigeants se regroupèrent sans attendre. Rhödem, visiblement inquiet pour la vie de ses hommes, déclara :

— Mes amis, nous avons subi de lourdes pertes. Je doute fort que nous puissions résister à une autre attaque du genre.

— En comptant les Norvëgs et les Maltïshs, nous avons encore un peu plus de quatre cents hommes. À mon avis, avec une bonne stratégie, ce nombre sera suffisant pour vaincre la horde des créatures des ténèbres, lança Adrïd, un solide guerrier aux longs cheveux noir ébène, souverain du peuple Gorgöl.

— Loin de moi l'idée de vouloir saper le moral des troupes, maugréa Rhödem. Mais durant la bataille, j'ai vu un seul de ces colosses en armure terrasser dix de mes meilleurs chevaliers. Jusqu'à maintenant, c'est à peine si nous avons neutralisé quelques-uns de ces monstres. Alors, imaginez lorsqu'ils seront tous réunis devant nous, ils nous réduiront en chair à pâté...

— Le prince Rhödem a raison, clamèrent certains chevaliers, inquiets.

— Calmez-vous mes frères, intervint le sage et expérimenté Göliak. Vous savez très bien que tout cela est arrivé parce que nous avons été pris par surprise. Cette fois, nous préparerons notre attaque et emploierons la ruse, comme le suggère le prince Adrïd.

— Je suis avec Göliak! déclara Mendénüs, commandant de l'armée des Maltïshs.

— Je suis d'accord aussi, lança avec vigueur Athär, le rouquin souverain du Rhoväd. Nous sommes venus ici pour combattre, alors combattons! Moi et mes hommes sommes fermement décidés à reconquérir Argöss.

— Mes frères, je suis avec Athär! Personne ne nous a dit que ce serait facile, dit Brokiäm. Maintenant que nous sommes engagés dans la bataille, plus rien ne doit nous arrêter!

— Vous êtes dans le vrai, chevaliers! L'armée des Malagöshiens sera de la partie! renchérit Rhödem qui avait repris confiance.

— Nous vaincrons, car Brägma est avec nous! affirma la princesse Arthélia.

— Je viens d'avoir une idée, lança Göliak. Si ce que je pense est vrai, nos chances de réussite sont excellentes.

— Que proposez-vous? interrogea Brokiäm.

— Il faut attaquer ces monstres cette nuit même.

— Cette nuit! s'étrangla Rhödem. C'est hors de question! N'oubliez pas qu'ils ont subi d'importantes pertes eux aussi. Il vaut donc mieux agir le plus tôt possible parce que si nous attendons la nuit, ils se reproduiront encore et encore.

— Allons prince, répliqua Göliak, un peu de calme! Il faut analyser toutes les possibilités de façon posée et réfléch...

— Mais bien sûr! coupa Dhövik, qui semblait sous le coup d'une révélation. Ces créatures se reproduisent la nuit. Elles sont donc sûrement plus vulnérables durant ce processus!

— Si votre hypothèse est juste, il faut attaquer dès ce soir, trancha Brokiäm.

— Voilà ce que je suggère, reprit Göliak. Nous nous mettrons en route dès la tombée de la nuit. Une fois à proximité de la forêt Verte, il faudra former des groupes d'une cinquantaine de combattants, dont la moitié sera des archers.

« Il s'agira ensuite d'entourer la cité et d'éliminer les créatures qui s'y trouveront aux abords ainsi que celles qui en garderont l'entrée. Puis attendre le signal pour donner l'assaut final. »

Sceptique, le commandant de l'armée des Wollöss demanda :

— Mais vous oubliez les Mandrökes! Et si ces diaboliques spectres en armures nous repéraient?

— Ne vous en faites pas, Römer. Chaque groupe comptera un homme dont la mission sera de sonner l'alarme dans le cas où son peloton serait en difficulté. Dans une telle situation, il devra souffler trois fois dans le cor en écorce de Padnü que nous lui aurons remis avant le départ. Le son qu'émet cet instrument imite le cri perçant du Dögui, il sera donc facile à reconnaître.

« Quand nous aurons contrôlé la garde à l'extérieur de la cité, ce sera au groupe d'élite de se mettre à la tâche. Il faudra percer une brèche suffisamment grande dans un de ces murs pour qu'un homme puisse s'y faufiler. Ensuite, nos frères archers, armés de flèches et de lances imprégnées de poison de Crypton, se chargeront de couvrir les autres durant le combat », termina Göliak.

— Mais comment percerez-vous ces murs qui font plus de dix yärves d'épaisseur? demanda la princesse.

— Nous nous servirons de ceci, fit Dhövik en sortant un flacon de l'une des sacoches de cuir attachées à son Zébriüs.

Puis il ouvrit la fiole remplie d'un liquide brunâtre à l'odeur nauséabonde. Cela fit grimacer tous ceux qui se trouvaient à proximité.

— Pouah! pesta Göliak. De grâce, refermez ce contenant au plus vite! Mais que renferme-t-il?

— Voilà le Mirädor, Votre Altesse! C'est ainsi que je l'ai baptisé. Il s'agit d'un puissant désintégrateur de cristaux que j'ai découvert par hasard en construisant le Körélium. Une fois secs, les matériaux imbibés de cette substance sont indestructibles, mais inversement, en certaines circonstances – comme l'absence de lumière vive par exemple –, ce même produit devient ultra-corrosif. Cette substance ne peut d'ailleurs être conservée dans un récipient autre que celui-ci qui est fait à base de Kryptöss, un des principaux composants du Körélium.

— Et vous croyez qu'une si petite quantité de ce Mirädor viendra à bout d'un mur de plus de dix yärves d'épaisseur? insista Rhödem.

— Bien sûr! Et il peut faire beaucoup plus! renchérit Dhövik. Faites-moi confiance, prince Rhödem.

— Quelle puissante arme cela nous ferait, si seulement nous en disposions en grande quantité... rêva tout haut Bradök.

— Comme je suis fier de toi, Dhövik. Tu détiens peut-être la clef qui nous ouvrira les portes de la cité! déclara la princesse.

— Alors mon brave, veux-tu être des nôtres? demanda Göliak.

— Je suis un bien piètre combattant, Votre Altesse. Toutefois, si je peux aider, ce sera avec joie, répliqua Dhövik.

— Tu feras partie de la brigade spéciale du chevalier Ghündee. Ce peloton composé de dix courageux guerriers comptera aussi la présence de la princesse et de Kündo. Cette formation sera au premier point d'entrée.

Dhövik acquiesça d'un signe de tête.

— Pendant que nos compagnons s'introduiront à l'intérieur de la cité, les autres groupes seront postés aux abords de celle-ci, reprit Göliak. Dissimulés dans la forêt Verte, nous attendrons le retour de Dhövik qui aura été jumelé à mon plus rapide cavalier. C'est alors qu'il faudra créer une diversion pour permettre à notre escouade spéciale de s'introduire jusqu'au cœur du palais. Entre-temps, Dhövik et son cavalier se seront redirigés vers la cité pour pratiquer d'autres ouvertures dans les murs. Ainsi, nous pourrons attaquer sur plusieurs fronts et, espérons-le, reprendre le contrôle de la cité d'Argöss.

« Une dernière chose, messieurs. Soyez sans pitié pour ces créatures, car elles n'en auront aucune pour nos frères qui tomberont au combat. Aussi, assurez-vous que chacune d'elles soit morte avant d'abandonner son corps. »

— N'ayez crainte, prince Göliak, nous suivrons vos directives à la lettre. De plus, le chevalier Ghündee nous a appris comment terrasser certaines de ces créatures. Nous verrons à ce que tous les combattants soient informés de ces techniques avant l'attaque, déclara Rhödem.

— Parfait! À présent, rejoignons nos compagnons et, en attendant la pénombre, organisons des brigades de surveillance.

Des hommes s'occupèrent des blessés légers tandis que d'autres réévaluaient le bataillon. Plus loin, on choisit dix des plus courageux guerriers, dont Rhödem et Bradök, parmi ceux qui se portèrent volontaires pour la périlleuse mission qui devait permettre à Will, à la princesse et à Kündo de s'introduire dans l'antre de la bête. Après quoi, le groupe se dispersa. Seuls Will, la princesse, Rhödem, Dhövik et Kündo demeurèrent sur place.

— Princesse, si vous n'y voyez pas d'inconvénient, j'aimerais vous entretenir d'un sujet important, lança Rhödem, qui semblait tout à coup mal à l'aise en présence de la jeune reine d'Argöss.

— Mais bien sûr, prince! répondit cette dernière, qui croyait savoir où Rhödem voulait en venir.

Un peu gênée, elle s'approcha tout de même du prince et, le prenant par le bras, elle l'entraîna à l'abri des oreilles indiscrètes.

— Vous avez vu? s'exclama Dhövik. Le prince Rhödem et notre souveraine, ils ont l'air…

— Amoureux! lança Kündo.

— Effectivement, ils semblent bien se plaire tous les deux, acquiesça Will.

— Moi, je crois qu'ils vont se marier! lança candidement Kündo.

— Notre reine Arthélia et le souverain de Malagösh… Oh là là! Quelle union cela ferait! rêvassa tout haut Dhövik.

— En attendant, mes amis, je crois qu'il serait plus sage d'aller nous reposer un peu avant cette nuit qui s'annonce longue et décisive, conclut Will.

19

Le huitième royaume

À la nuit tombée, deux chevaliers qui avaient été envoyés en éclaireurs revinrent précipitamment. Une fois sa monture immobilisée, l'un d'eux, bleu de froid et rigide comme un bloc de glace, bascula sur le sol. Son corps se brisa en mille morceaux devant les yeux horrifiés de ses frères d'armes. Visiblement moins atteint, l'autre messager avait le visage couvert d'un épais frimas et semblait pétrifié de terreur. Voyant qu'il n'arrivait pas à exprimer ce dont il venait d'être témoin, Göliak ordonna aussitôt qu'on l'emmène et qu'on lui prodigue les premiers soins.

Après que l'on eut examiné l'homme, Göliak se présenta à ses côtés.

— Altesse, déclara le chevalier mandaté aux premiers soins, par chance, celui-ci n'a été que partiellement touché. Peu s'en fallait qu'il n'y laisse sa peau.

— Au nom de Brägma, que vous est-il arrivé? tempêta Göliak, inquiet pour la sécurité de ses hommes.

— Nous avooooons ééété... reeee... pééérés... et pourchaaaassés... paaar des Ziiiirrrrrnöööks craaa.. cheurrrs, déclara en grelottant le rescapé.

— Des Zirnöks cracheurs! Par Kénöss, comment est-ce possible? s'exclama Göliak. Tout cela n'est qu'une légende inventée de toutes pièces!

— Ils... exissss... tent vraiiii... ment! grelotta le cavalier qu'on avait recouvert d'une épaisse couverture de laine.

— Qui sont-ils? demanda Will, inquiet lui aussi.

L'attirant à l'écart, Dhövik lui expliqua :

— Selon une légende très ancienne, Brägma le Tout-Puissant aurait envoyé ici-bas sept demi-dieux sous forme humaine. Ces derniers auraient eu pour mission de rétablir l'ordre au sein des royaumes qui, depuis l'arrivée d'Elbür le perfide, étaient plongés dans le chaos le plus total. Par pure méchanceté, ce puissant manipulateur réussit à monter les chefs de clans les uns contre les autres. Semant la pagaille partout où il passait, il chassa la paix séculaire qui régnait entre les sept royaumes de ce continent.

« Hélas! les demi-dieux mandatés pour ramener la paix tombèrent sous le charme d'Elbür et furent instantanément condamnés par Brägma à devenir de simples mortels. Profitant de leur vulnérabilité, le sinistre enchanteur les transforma en Zirnöks cracheurs. Ces énormes volatiles à tête de serpent sont capables de projeter un liquide frigorifiant et de transformer un homme en statue de glace en quelques secondes à peine.

« En constatant la trahison de ses envoyés, Brägma piqua une sainte colère. Il ordonna au puissant Kénöss de rétablir l'ordre de façon définitive. C'est ainsi qu'à l'aide de son sceptre de justice, le demi-dieu foudroya ses sept anciens compagnons célestes qui, en tombant aux mains d'Elbür, étaient devenus indignes. Il les propulsa ensuite dans les profondeurs du Golgöva pour l'éternité. »

— J'espère que nous n'aurons pas à affronter ces bêtes! fit Kündo qui marchait sur les talons de Will et de Dhövik.

— J'ai bien peur que si! répliqua Will. Cela m'apparaît inévitable…

Ces Zirnöks me semblent plus redoutables que les Raptors de Malgor. Gaël me l'avait dit, son monde est plus dangereux encore que celui de Markus à l'époque de la grande tribulation.

☽ ☆ ☾

— Mais comment allons-nous affronter ces monstres volants? Selon la légende, seul un demi-dieu pourrait les vaincre! s'écria un chevalier.

— Nous sommes ici pour défendre notre terre et notre liberté! Pensez à vos familles et aux générations futures. Il faut faire honneur à votre rang de chevalier et combattre pour que le huitième royaume soit libéré de cette vermine! s'écria Göliak sur un ton convaincant.

Une clameur monta :

— Le roi a raison!

En brandissant son Hidärk, Göliak déclara :

— Étant donné que nous risquons de rencontrer des Zirnöks cracheurs, je crois préférable de changer notre tactique. Au lieu de plusieurs groupes de cinquante hommes, nous n'en formerons que deux. Le premier sera chargé de ramener la princesse au cœur du palais, pour qu'elle soit remise en contact avec le Körélium le plus tôt possible. Dhövik, qui fera partie de cette troupe, se chargera de percer le mur est de la cité. Durant ce temps, le deuxième groupe, dont je ferai partie, sera posté au mur ouest, où nous attendrons Mörth, le plus véloce de mes coursiers, qui aura pour mission de ramener Dhövik. Puis nous nous introduirons à notre tour à l'intérieur.

« Quant à vous, braves chevaliers, vous serez sous les ordres du prince Adrïd. Je compte sur vous pour lui obéir aveuglément! »

Puis Göliak lança à l'intention d'Adrïd :

— Vous et vos hommes nous attendrez dans la forêt. À mon signal, vous viendrez nous prêter main-forte et prendre d'assaut la cité.

Ensuite, se tournant vers le prince de Malagösh, il ajouta :

— Rhödem, vous et votre bataillon devrez attendre le cri prolongé du Dögui avant de vous lancer à l'attaque. Ce sera le signal que l'assaut final est donné.

— Bien, fit Rhödem.

— À présent, déclara solennellement Göliak, que Brägma le Tout-Puissant nous protège!

La princesse s'adressa à Will.

— Ce sera bientôt à toi de jouer. N'oublie pas, tu ne dois jamais te séparer du Psyliüm d'Archée. Et puisque je serai bientôt en contact avec le Körélium, je voudrais que tu reprennes ta pierre.

— Vous en êtes bien certaine? insista Will.

— Oui, car ma destinée s'accomplira cette nuit même.

Sur ces mots, elle enfourcha son Guerlük et partit rejoindre Rhödem, laissant Will perplexe, sa pierre entre les mains.

— Allons, Will, nous devons rattraper nos compagnons, lança Kündo en le tirant par le bras.

Rapidement, les deux groupes se dirigèrent silencieusement vers la cité. À l'orée de la forêt Verte, les hommes se dispersèrent précaution-neusement. Conscients des nombreux pièges préparés par Imgöla et dissimulés dans les sous-bois, les hommes se firent précéder par quelques Guerlüks sans cavalier, suivis des meilleurs éclaireurs.

La troupe d'élite chargée de couvrir Will et ses compagnons se fraya un chemin à travers bois en direction de la façade est de la cité. En route, ils entendirent au loin les cris stridents des Zirnöks cracheurs. Puis, peu de temps après, un des éclaireurs lança un avertissement :

— À terre, tous!

C'est alors que Will aperçut pour la première fois un de ces redoutables reptiles volants. L'énorme Zirnök passa au-dessus d'eux, balayant d'un regard lumineux une large portion du territoire. Dans le silence inquiétant de la forêt, la petite troupe put même percevoir le bruit du battement de ses immenses ailes de chauve-souris. Ensuite, avant de disparaître, le monstre lâcha un puissant cri qui glaça le sang des chevaliers les plus aguerris.

Après coup, ils se jetèrent un regard qui trahissait leur état d'âme. C'était comme s'ils craignaient l'inévitable confrontation avec ces créatures légendaires qui peuplaient leurs pires cauchemars et contre lesquelles ils se sentaient totalement impuissants.

Le danger passé, Rhödem enveloppa la princesse d'un regard protecteur, puis ordonna à ses hommes de reprendre leur avancée.

L'énergie de la souveraine avait, hélas! déjà commencé à diminuer.

Arrivés près de la cité, tous abandonnèrent leur monture, à l'exception de Mörth, le coursier chargé de ramener Dhövik. Ils restèrent à couvert le temps de s'assurer que la route était bien dégagée jusqu'au mur est. Dhövik, qui suivait Will, devint subitement très nerveux. Il se mit à trembler.

— N'ayez crainte mon ami, lança Will.

Puis en dégainant son épée, les pierres de sa hampe croisèrent un rayon de lumière provenant des trois lunes.

Dhövik siffla d'admiration :

— D'où sors-tu ce joyau?

— Je vous expliquerai plus tard. Tout ce que je peux vous dire pour le moment c'est que cette épée cache d'aussi grands pouvoirs que le Psyliüm d'Archée. Alors si les choses tournent mal, restez près de moi, insista Will.

— Bien, fit le vieil érudit, un peu rassuré.

Ils observèrent les alentours durant quelques minutes. Ne voyant rappliquer aucun monstre, Rhödem fit signe à ses compagnons d'avancer en droite ligne vers l'immense mur de la cité.

Arrivé sur place, Dhövik examina la grande muraille qui s'élevait vers le ciel. Il indiqua au prince l'endroit exact où il prévoyait percer le mur et demanda à tout le monde de reculer.

Le vieil homme prit sa sacoche en cuir et en sortit précautionneusement la fiole renfermant le Mirädor ainsi qu'une grosse éprouvette. Ensuite, il scruta le ciel et attendit que des nuages recouvrent complètement les trois croissants de lune. Il versa alors la moitié du précieux liquide dans l'éprouvette et lança avec précision son puissant cocktail contre le mur.

Sous l'effet acide du Mirädor, un nuage grisâtre s'échappa. Puis, comme par magie, l'épais rempart qui protégeait la cité commença à se dissoudre. Un trou béant apparut bientôt, à travers lequel la petite troupe s'engouffra.

— À toi de jouer, Mörth, déclara Rhödem.

— À vos ordres, Altesse, répondit le rapide cavalier qui fit monter Dhövik derrière lui et disparut dans la nuit.

La grande muraille franchie, la princesse constata avec consternation que sa cité, autrefois si belle et si harmonieuse, était dans un état lamentable. Les ruelles étaient encombrées de débris et plusieurs maisons avaient été détruites tandis que plus loin, on pouvait apercevoir des termites géants en train de terminer le travail.

Dissimulée derrière des ruines, la troupe assista à un étrange rituel. Plusieurs créatures étaient en plein processus d'accouplement. Installées dos à dos, elles se frottaient l'une contre l'autre, jusqu'à ce que leur épiderme sécrète une substance gélatineuse qui se répandait sur le sol.

À l'issue de ce curieux exercice, un petit monstre naissait. Sa tête surgissait de l'enveloppe gluante que ses obscurs géniteurs s'empressaient de déchirer afin de libérer leur repoussant rejeton. Mais la chose la plus saisissante pour les chevaliers fut de réaliser qu'au bout de quelques minutes à peine, les nouveaunés avaient déjà atteint leur taille adulte.

— Nous attendrons le signal de Göliak avant de repartir. Restez vigilants, souffla Rhödem à mi-voix.

20

Un allié de taille

Deux énormes Zirnöks passèrent dans le ciel. Peu de temps après, le puissant cri du Dögui retentit. C'était le signal de l'assaut final.

De partout résonnèrent des bruits de combat provenant de l'intérieur de la cité, ce qui laissait présager que Göliak et ses hommes avaient déjà déclenché l'attaque.

À leur tour, Rhödem et son groupe se dirigèrent promptement vers le palais pour tenter une percée. En route, ils durent affronter de féroces créatures disséminées un peu partout dans les ruines. Chaque fois que les chevaliers tentaient de reprendre leur progression, d'autres monstres semblaient surgir de nulle part.

On décida donc d'installer les habiles archers Norvëgs à l'avant de la troupe. Ceux-ci formèrent une véritable muraille humaine devant leurs compagnons et purent éliminer la majeure partie des attaquants.

Rhödem et ses guerriers arrivaient tout près de la place centrale devant le palais lorsque deux Zirnöks cracheurs se mirent à les arroser de leur mortelle substance. Plusieurs d'entre eux furent littéralement frigorifiés sur place. Voyant ses frères d'armes ainsi menacés, Will se précipita au-devant d'eux. Brandissant son épée vers le ciel en signe de défi, il invoqua l'aide du Grand Esprit et de Gaël.

Dès que les deux Zirnöks aperçurent Will, ils plongèrent vers lui en crachant leur terrible poison. Mal leur en a pris car, au moment où le jet glacé allait toucher la cible, un puissant rai lumineux d'un blanc éclatant émana de l'épée de Will et, agissant comme un bouclier déflecteur, retourna le liquide réfrigérant à ses expéditeurs, sous l'œil ébahi de ses amis. Instantanément frigorifiés, les deux Zirnöks s'écrasèrent au sol avec fracas. À la place qu'ils occupaient un instant auparavant une montagne de glaçons scintillait. Will fut une fois de plus stupéfait par les puissants pouvoirs de l'épée.

Rhödem et ses hommes se remirent en route vers le palais. Conscient qu'il était le seul à pouvoir contrer les Zirnöks cracheurs, Will ne put se résigner à laisser Göliak et sa troupe à la merci de leurs attaques meurtrières. Il confia donc Kündo et la princesse au prince Rhödem et, accompagné des trois archers qui avaient survécu à la dernière attaque, il repartit en direction de l'entrée de la cité.

☽ ☆ ☾

Rhödem et ses compagnons avaient réussi à pénétrer dans le palais par une entrée réservée aux serviteurs. Ils aboutirent bientôt aux cuisines, puis passèrent dans le hall du rez-de-chaussée. Soudain, deux énormes Mandrökes firent irruption devant eux. Les chevaliers formèrent aussitôt une protection devant la princesse.

— Éliminez-les! s'écria la corneille, perchée sur le buste du prince Odak. Arthélia ne doit pas atteindre le Körélium!

À ces mots, les colosses en armure se ruèrent sur les arrivants et une féroce bataille s'engagea. Mais la lutte tourna rapidement à l'avantage de ces brutes à la force herculéenne qui cognaient avec leurs gros poings de métal sur leurs adversaires, les assommant, pour la plupart, instantanément. Enfin, un des Mandrökes attrapa la princesse et la plaqua brutalement au sol, sous le regard horrifié de Kündo. Ce dernier tenta de s'interposer, mais il fut violemment projeté contre une colonne de marbre.

— Ne lui brise pas les os, crétin, menaça l'horrible corneille en désignant Arthélia, ou tu le regretteras!

Puis elle se transforma en colosse de métal et délogea le Mandröke qui retenait la princesse au sol.

La courageuse souveraine, maintenant sous l'emprise de la sorcière, pouvait à peine respirer. Dans un effort désespéré, elle articula difficilement :

— Kündo, il est l'heure… de remettre à Zôria… son dû pour… tout ce qu'elle t'a fait subir.

— Ha, ha, ha! À quoi bon te fatiguer, pauvre idiote…, ricana la sorcière en relâchant sa prise pour mieux savourer sa victoire.

Puis elle montra Kündo du doigt :

— Dans l'état où se trouve ce bon à rien, il ne pourrait même pas tuer une mouche.

Kündo était à peine conscient, mais quand il entendit la voix étranglée de la princesse il sentit s'éveiller en lui l'instinct du fauve. Cela décupla ses forces et déclencha sa métamorphose.

Sous le regard stupéfait de Rhödem et de ses chevaliers, il se transforma en lion aux crocs proéminents. L'animal bondit, toutes griffes dehors, sur Zôria – le Mandröke – et la renversa, lui faisant lâcher sa prise. Il s'installa ensuite devant la jeune souveraine. Rhödem, qui se relevait du dernier assaut, vint au secours de sa bien-aimée pendant que Kündo était entouré par les trois Mandrökes.

D'un même élan, les monstres se jetèrent sur le courageux félin qui, heureusement, réussit à en neutraliser deux, ce qui donna le temps aux hommes de Rhödem de les achever de leur épée. Il ne restait plus qu'un seul Mandröke. Mais quand il ouvrit la bouche, tous furent consternés de constater qu'il s'agissait de la sorcière :

— Monstre, c'est moi qui t'ai donné la vie, maintenant je la reprends!

Au moment même où Kündo bondissait sur Zôria, elle lui décocha un formidable coup de poing au poitrail qui l'étendit raide. Après quelques convulsions, le fauve s'immobilisa avant de reprendre son apparence initiale sous les cris de désespoir de la princesse Arthélia. Escortée du prince et de trois hommes, la souveraine jura à la sorcière qu'elle venait de commettre son dernier forfait, puis battit en retraite.

☽ ✩ ☾

Will avait rejoint le roi Göliak juste à temps pour neutraliser à sa façon les trois nouveaux Zirnöks qui tentaient de s'en prendre à lui et à ses chevaliers.

— Nous avons un chevalier de Brägma dans nos rangs! s'écria le robuste Göliak, impressionné par ce qu'il venait de voir. Alors, maintenant, tout est possible!

La disparition des reptiles ailés eut un effet stimulant sur la troupe. Cette dernière se jeta avec une détermination renouvelée dans la mêlée contre la meute des hommes-sangliers, des scarabées et des hommes-insectes. Avec Will en tête, les chevaliers des royaumes unifiés parvinrent à faire reculer les envahisseurs jusqu'au moment où surgit de derrière le palais une imposante légion de Mandrökes armés d'épées et de lances. Cette vision d'horreur sema la consternation parmi les chevaliers. En se retournant, Göliak put lire un grand désarroi sur les visages de ses braves.

Devant cette importante menace, Will eut une vision spontanée semblable à celles qu'il avait eues au moment de prendre possession du Psyliüm d'Archée. Dans cette nouvelle scène, il pouvait voir Odak qui, peu de temps avant l'affrontement final pour libérer le royaume d'Ozirak, demandait à ses frères de dessiner sur leur front le signe du puissant Kénöss.

Fort de cette vision, Will demanda alors à ses compagnons d'imiter leurs ancêtres. Il les incita ensuite à faire acte de foi, ce que les chevaliers firent sans hésiter.

Puis suivi de ses frères de combat, Will partit à la rencontre des monstres. En brandissant très haut son épée, il implora l'aide du divin Kénöss. Göliak et ses guerriers, gonflés de courage et prêts à tout pour sauver la cité de lumière, formèrent un rempart humain en resserrant les rangs.

Les créatures de l'armée de l'ombre accélérèrent le pas, leurs énormes glaives pointés devant eux.

Au moment où les deux groupes allaient s'affronter, la terre se mit à trembler violemment, jetant au sol les macabres guerriers d'Imgöla. Puis, de la terre, jaillit un mystérieux courant d'énergie de couleur bleue qui magnétisa le métal des armes des compagnons de Will. Lorsque l'étrange phénomène cessa, Göliak et ses braves constatèrent que leurs épées, imprégnées d'un fluide luminescent, émettaient un rayonnement bleuâtre.

Profitant de l'effet de surprise causé par cette manifestation surnaturelle, Göliak sonna la charge. Mus par une grande confiance, les preux chevaliers attaquèrent avec fougue. Leurs glaives lumineux ramenaient les invincibles Mandrökes au rang de simples mortels. Le combat qui s'ensuivit fut terrible et pendant que de nombreux guerriers de l'ombre tombaient, les deux derniers Zirnöks vinrent prêter main-forte à leurs acolytes. Du haut des airs, ils arrosèrent les troupes de Göliak qui en avaient déjà plein les bras. Aussitôt, Will tenta d'attirer l'attention des Zirnöks en sortant de la mêlée.

— Venez donc si vous l'osez! leur cria-t-il en agitant très haut les bras.

Les Zirnöks plongèrent directement sur lui en crachant au passage leur redoutable substance. Au dernier moment, Will brandit son épée vers le ciel et foudroya un des gigantesques reptiles. Ce dernier, frigorifié par son propre venin, s'écrasa contre la grande muraille blanche. L'impact fut si terrible qu'une large brèche s'ouvrit dans le mur, par laquelle d'autres chevaliers à dos de Guerlüks purent investir la cité.

Quant au dernier Zirnök, qui avait été atteint à une aile, il atterrit en catastrophe non loin de Will et entreprit de le bombarder de son fiel. Will esquiva adroitement les puissants jets jusqu'au moment où, à bout de munitions, le Zirnök cracheur se résigna à affronter Will en combat singulier. Il se cambra alors sur ses pattes arrière et poussa un puissant cri d'attaque tout en balayant le sol de son énorme queue. Will évita facilement les coups et, profitant d'une esquive, trancha une bonne partie de la queue d'un magistral coup d'épée.

Rendu furieux par cette amputation, le Zirnök – dont les yeux brillaient du feu des ténèbres –, se précipita de toute sa masse sur son adversaire lorsque deux flèches, lancées par le Hidärk de Göliak, l'atteignirent à un œil et au cou. Se tordant de douleur, le Zirnök tenta une ultime offensive, mais Will lui lança, tel un javelot, son épée en plein cœur. Aussitôt, la hampe de l'arme se mit à étinceler. Le monstre s'écroula aux pieds de Will avant de disparaître dans un nuage de fumée.

Voilà qui t'apprendra à défier la puissance du Grand Esprit!

— Chevalier Ghündee, tout va bien? demanda Göliak.

Ramassant l'épée du Grand Esprit qui scintillait encore faiblement, Will répondit :

— Oui, Altesse. Merci pour cette judicieuse intervention.

— Heureux d'avoir pu vous être utile. À présent, vous devez retourner auprès de la princesse avant qu'il ne soit trop tard! Cinq de mes hommes vont vous escorter. Allez, filez. Nous resterons ici et tâcherons de contenir la horde.

— Bien, Votre Altesse, acquiesça Will, avant d'enfourcher un Guerlük et de s'éloigner rapidement.

☽ ☆ ☾

Lorsque Will et ses compagnons pénétrèrent dans le palais, un peloton d'hommes-sangliers et d'hommes-serpents émergea et leur tomba dessus. Fort heureusement, les monstres ne résistèrent pas longtemps aux flèches empoisonnées des chevaliers Maltïshs et à l'épée de Will.

La petite troupe reprit ses recherches en parcourant de long en large l'immense palais de cristal. Occupé à en scruter les nombreux couloirs, Will fut soudain interpellé par un des chevaliers de sa suite, qui l'emmena dans le grand hall.

— Il y a eu un violent combat ici. Tenez, regardez! dit l'archer en pointant une colonne du doigt.

Will s'approcha et, consterné, aperçut le corps de son ami Kündo gisant derrière la colonne de marbre.

— Kündo, réponds-moi! s'exclama Will en secouant le corps inanimé de son compagnon. Non, ce n'est pas possible...

Arrivant péniblement à ouvrir un œil, le petit blessé lui murmura :

— Will... pardon, j'ai... fait du mieux que j'ai pu...

— Chevalier Ghündee, nous devons repartir maintenant! N'ayez crainte, notre frère Hulrïk raccompagnera Kündo en lieu sûr, lui assura l'un des chevaliers. Venez, il faut absolument retrouver le prince Rhödem et la princesse Arthélia.

Bien malgré lui, Will quitta Kündo en lui promettant de revenir très vite.

De retour dans les couloirs du palais, Will reconnut les lieux et emprunta un corridor qui les conduisit directement à la salle du conseil.

21

Affrontement déloyal

Au seuil de l'immense pièce où trônait le Körélium, une vision effroyable attendait Will et ses compagnons. La princesse Arthélia était suspendue entre ciel et terre, mystérieusement retenue par d'invisibles liens. Elle avait le dos plaqué au grand catalyseur d'énergie. Son corps semblait sans vie.

À l'intérieur de la colonne de cristal, qui irradiait jadis une lueur d'un blanc très pur, bouillonnait à présent une répugnante substance rougeâtre. Le catalyseur paraissait relié à un énorme trou creusé à même la pièce devant l'endroit où se trouvait auparavant l'entrée du passage secret. Ce gouffre dégageait une odeur âcre et projetait une lueur rougeoyante semblable à celle que reflétait le Körélium.

Le spectre de Zôria tournoyait autour de la princesse en prononçant d'étranges incantations. Puis quand la sorcière aperçut Will et les chevaliers Norvëgs, elle hurla :

— Détruisez-les avant qu'ils ne fassent tout échouer!

En regardant tout autour, elle poursuivit :

— Mais où est donc encore cet idiot d'Imgöla?

À ce moment, Will remarqua au fond de la pièce le prince Rhödem et une poignée de ses hommes aux prises avec trois Mandrökes. Les flèches des archers Norvëgs n'eurent malheureusement aucun effet sur les géants de fer qui, voyant arriver Will et ses compagnons, abandonnèrent leurs victimes fortement éprouvées pour se ruer sur les nouveaux venus.

Mais les deux clans n'étaient pas de force égale et les chevaliers de l'alliance ne purent contenir les spectres en cuirasse qui, à grands coups de poing, les envoyaient valser dans tous les coins de la pièce. Certains furent même projetés directement au fond de l'abîme, au grand dam de Will qui tentait de se défendre contre Othör, le féroce bras droit d'Imgöla. D'un coup d'épée,

Will atteignit d'abord le Mandröke à la main, lui faisant lâcher son arme, puis à une jambe. Il le foudroya ensuite d'un terrible coup d'estoc. Sa lame transperça aisément le robuste plastron métallique du Mandröke et se fraya un chemin à travers le corps du géant.

Rhödem et deux de ses compagnons vinrent prêter main-forte à Will. Ensemble, ils réussirent à éliminer les autres Mandrökes.

— Imgöla! Mais où es-tu, mécréant? s'écria la sorcière en colère. Je t'ordonne d'apparaître immédiatement et de détruire ces minables! Par ta faute, je vais manquer mon retour à la vie.

C'est alors que, passant au travers de l'un des murs de pierre, apparut le plus imposant Mandröke jamais vu jusque-là. Il devait faire à peu près une fois et demie la taille de Will et son armure, pourvue de pointes métalliques acérées, brillait d'un noir bleuté. Le colosse s'avança vers le groupe. Rhödem et ses hommes furent balayés d'un simple revers de la main. Puis le Mandröke se retrouva en face de Will qu'il dominait de toute sa hauteur.

Celui-ci me semble encore plus redoutable que Malgor...

Furieux du traitement que le monstre venait de faire subir à ses amis, Will, armé de son

courage et de l'épée du Grand Esprit, le défia
en duel.

— Te voilà enfin, sale fouineur! Tu vas regretter d'avoir osé me défier, moi, le maître
d'Argöss et, bientôt, de tous les royaumes!
menaça le terrible Imgöla.

— Toi, le maître d'Argöss? intervint Zôria,
hors d'elle. C'est moi qui t'ai ramené à la vie,
espèce d'ingrat. Tu me dois respect et sou-
mission! Alors je t'ordonne de tuer ce trouble-
fête immédiatement et de t'incliner devant la
nouvelle reine d'Argöss!

— Personne ne me commande, si ce n'est
Vhorlök le Grand-Ténébreux! tempêta Imgöla.

— Imgöla, espèce de traître! Soumets-toi tout
de suite, sinon...

— Sinon quoi, vieille folle? Tu crois pouvoir
me menacer? Sache que je me suis servi de
toi comme d'une marionnette! Maintenant,
tu ne me sers plus à rien. Disparais de ma vue
à jamais!

— Je vais te faire regretter de...

Avant d'avoir pu faire quoi que ce soit, Zôria
fut aspirée par un puissant tourbillon de
lumière. Et tendant son bras droit en direction

du Körélium, le Mandröke, habité par cette maléfique énergie qu'il semblait maîtriser, foudroya la sorcière. Emprisonnée dans cette obscure spirale rougeâtre, cette dernière termina sa course dans l'abîme. Des profondeurs des ténèbres, on entendit monter les malédictions de Zôria qui jurait de se venger.

Croyant pouvoir en finir aussi facilement avec Will, Imgöla dirigea vers lui son fluide mortel. Mais il fut pris de stupeur lorsqu'il reconnut au cou de son adversaire la pierre que portait autrefois le prince Odak. Celle-ci projeta soudain vers le Mandröke un rai lumineux intense qui neutralisa momentanément ses nouveaux pouvoirs.

— Tu sembles protégé par cette peste d'Aurora, grogna le colosse. Eh bien, puisque mes pouvoirs n'ont pas d'emprise sur toi, tu vas devoir m'affronter en duel. Mais, avant de mourir, tu dois savoir que rien de tout ce que tu as fait jusqu'à maintenant n'aura servi. Toi et les minables chevaliers qui t'accompagnent, si nombreux soient-ils, ne pourrez rien dorénavant contre la nouvelle armée de l'ombre qui naîtra de mon sang et sera à mon image : indestructible!

Imgöla jeta un bref regard en direction du Körélium, qui servirait bientôt ses sinistres plans en récupérant l'énergie des profondeurs du Golgöva pour amener à la vie ses invincibles clones.

Son énorme glaive en main, le funeste chevalier fonça sur Will.

Comparée à celle du géant, l'épée de Will faisait figure de jouet. Mais elle résista de façon surprenante aux puissants assauts. Toutefois, Will fut contraint de plier les genoux à de nombreuses reprises pour amortir le choc des violents coups de massue que lui portait le glaive d'Imgöla. Malgré tout, Will n'abandonna pas la lutte, esquivant parfois avec beaucoup d'adresse les charges répétées de son agresseur.

Cependant, après quelques minutes de ce combat inégal, Will commença à douter de l'issue de la confrontation. L'espace d'une fraction de seconde, il revit le visage de tous ceux qui espéraient en lui, spécialement Markus et Jawäd qui, s'il échouait, demeureraient à jamais prisonniers de l'Antre des Maltïtes.

Lisant dans les pensées de Will, Imgöla déclara :

— C'est moi qui détiens la clef de l'Antre. Soumets-toi, Will Ghündee, et je libérerai tes amis.

— Plutôt mourir! laissa tomber sèchement Will.

Et il repoussa péniblement une autre fulgurante attaque du machiavélique chevalier.

— Alors, tu l'auras voulu!

Incapable de vaincre son jeune adversaire, Imgöla changea de stratégie. D'un coup sec, il arracha l'énorme porte de la salle du conseil, puis la projeta de toutes ses forces dans la direction de Will.

Sous l'impact, ce dernier perdit sa précieuse épée et fut entraîné avec force dans l'abîme qui avait englouti plus tôt la sorcière. Heureusement, Will réussit à s'agripper au bord du trou. Du coup, il faillit perdre la précieuse dague qu'il avait soigneusement rangée dans sa ceinture et qu'il s'empressa de replacer.

Loin d'abandonner, Imgöla s'élançait vers l'ouverture lorsqu'il fut soudainement plaqué par-derrière et disparut du champ de vision de Will. Les mains meurtries par les éclats de marbre constituant les rebords du gouffre, ce dernier, dans un ultime effort, prit le Psyliüm d'Archée et le planta de toutes ses forces dans le sol. Puis il s'y agrippa comme à une bouée de sauvetage.

Puisant alors dans ses dernières réserves d'énergie, Will rassembla ce qu'il lui restait de forces et réussit à se hisser hors du trou.

De retour sur la terre ferme, il fut stupéfié de voir Imgöla aux prises avec l'un de ses congénères dans une lutte fratricide. Mais bien plus puissant que son adversaire, le sombre chevalier était sur le point d'en finir avec son opposant.

Will ramassa son épée et d'un coup bien placé atteignit Imgöla au bras gauche, le sectionnant presque. Complètement déchaîné, celui-ci exécuta avec son arme deux rapides moulinets – que Will esquiva d'un bond en arrière – dont l'un faillit lui trancher la gorge, coupant au passage le lacet de cuir qui retenait son précieux pendentif.

Voyant sa pierre magique rouler au sol loin devant lui, Will sentit un vent de panique le traverser. Imgöla en profita pour lui décocher un solide coup de pied au ventre qui l'envoya s'écraser lourdement contre le Körélium. Fortement commotionné, Will vit alors le Mandröke qui l'avait secouru précédemment ramasser la pierre de la déesse derrière son bourreau. Sous son casque, dans le noir visage du mystérieux sauveur, une étincelle de lumière apparut. Instantanément, le Mandröke se transforma en un minuscule Irbit. Celui-ci, étonné de ne pas s'être brûlé au contact du précieux caillou, fixa Will avec intensité, pendant qu'Imgöla s'amenait vers ce dernier avec son glaive.

— Pardonnez-moi, maître Will! lança l'Irbit. J'avais si peur que Zôria ne me retire tous mes pouvoirs…

— Aide-moi, Smhöll, vite! s'écria Will qui venait de s'apercevoir qu'il avait perdu son épée sous le choc. À présent, je sais que tu dis la vérité, car si tu n'étais pas sincère tu ne pourrais pas tenir la pierre de la déesse sans te brûler.

Surpris, Imgöla se tourna vers l'Irbit. D'un geste vif, Smhöll fit glisser la pierre qui fila entre les jambes du monstre cuirassé pour terminer sa course juste devant Will. Celui-ci la saisit prestement.

— Sauve-toi Smhöll! hurla Will.

Quand Imgöla se retourna et vit la dague sacrée dans les mains de Will, celle-là même qui l'avait jadis envoyé au Golgöva, sa colère décupla. Il tenta d'abord d'écraser Smhöll, mais celui-ci disparut sans demander son reste. Il s'amena donc en trombe vers Will.

Ce dernier, en resserrant sa prise sur le Psyliüm d'Archée, eut, le temps d'un éclair, une nouvelle vision.

Il se trouvait de nouveau aux côtés d'Odak lors du tragique affrontement avec le maléfique prince de l'armée de l'ombre. Au moment où

Odak élevait la dague et s'apprêtait à la lancer, la pierre de la déesse fut irrésistiblement attirée vers l'arme.

Grâce à cette révélation, Will comprit qu'il devait placer la pierre d'Aurora – la clef pour délivrer tout un monde – sur la dague, dans l'œil de Kénöss, afin d'activer ses puissants pouvoirs, ce qu'il fit donc.

Aussitôt, une éblouissante lumière venant du Psyliüm d'Archée traversa Will de part en part. Il lâcha la dague qui, mue par une force invisible, vint se ficher dans le cœur d'Imgöla.

Le prince des ténèbres s'écria :

— Pas encore! Nonnnnnn!

Puis un être à l'allure mi-homme, mi-animal apparut. Will reconnut immédiatement cette créature d'une incroyable beauté. C'était Kénöss, le puissant justicier céleste.

— Maintenant que tout est accompli, Imgöla, au nom du Tout-Puissant Brägma, je vous condamne, toi et tous tes acolytes, à retourner dans les profondeurs du Golgöva. Cette fois, vous y resterez pour l'éternité, déclara le demi-dieu.

Puis, armé de son sceptre de justice, il expédia aussitôt le spectre maléfique dans l'abîme.

La répugnante substance qui habitait le Körélium fut alors aspirée dans le gouffre, que Kénöss scella aussitôt par une incantation. Peu après, le sol de la salle du conseil reprit son aspect original. Enfin, le demi-dieu libéra la princesse de sa mystérieuse étreinte et la déposa doucement sur le sol près du prince Rhödem, toujours inconscient. Après quoi, Kénöss déclara :

— Will Ghündee, tu as démontré un courage exceptionnel et fait preuve d'un rare altruisme. Brägma, qui en fut Lui-Même ému, a offert de te récompenser. Tu n'as qu'à demander et ton désir sera exaucé. Cela inclut aussi le privilège de retourner dans ton monde, précisa le divin messager.

Déchiré entre l'envie de retrouver sa nouvelle vie, la possibilité de voir Kündo guérir de ses graves blessures et enfin, son désir de libérer ses amis Markus et Jawäd prisonniers de l'Antre des Maltïtes, Will ne put se résoudre à formuler un seul vœu. Il s'abstint donc.

— Je me vois contraint de refuser votre offre, puissant Kénöss, car quel que soit le souhait que je formule, je devrai inévitablement vivre avec de terribles regrets, dit Will en inclinant respectueusement la tête.

— Ta réponse confirme ce que m'avait prédit Brägma. Tu es un être à part, Will Ghündee.

Rares sont ceux qui préfèrent laisser parler le cœur plutôt que la raison, souvent trompeuse et égoïste.

22
La séparation

Le corps meurtri par le rude combat qu'il venait de livrer, Will se releva péniblement et se porta au secours de la princesse et du prince Rhödem. Ce dernier avait une grave blessure à la poitrine et une longue coupure au visage.

— Avons-nous réussi? interrogea-t-il.

— Oui, prince. Imgöla et son armée de spectres ne sont plus qu'un mauvais souvenir! lança Will, qui ne percevait plus aucun signe d'agitation de l'extérieur depuis un bon moment.

— Et la princesse? Elle n'est pas blessée, au moins?

— Non, je ne crois pas. Elle est seulement inconsciente.

Dès que Will eut fini de parler, un magnifique rayon de lumière traversa les immenses panneaux de cristal de la toiture et vint se poser sur la princesse, puis sur le Körélium. Pendant que le grand catalyseur retrouvait sa luminosité d'antan, la pierre de Will se mit à scintiller au même rythme que lui. Enfin, le Körélium émit de nouveau son curieux bourdonnement.

Ayant repris conscience, Arthélia, aidée de Will, se releva. Puis, plongeant un regard intense dans les yeux de celui-ci, elle murmura :

— J'ai vu Kharölas. Il m'a parlé de ton courage. Argöss est libéré, n'est-ce pas?

— Oui, princesse. Mais économisez vos forces…

— Conduis-moi immédiatement au Körélium, coupa-t-elle. Il le faut!

Will transporta la souveraine près de la grande colonne lumineuse. Sans attendre, elle y plongea ses bras. En quelques instants, elle retrouva son teint rose et son étonnante vitalité. Elle se retira du Körélium et tendit vers Will sa main droite, qui tenait un bâtonnet lumineux de forme cylindrique.

— Will Ghündee, tu as sauvé mon royaume et je tiens à te remercier pour ton aide si précieuse. Tel que promis, voici le sauf-conduit qui te permettra d'adresser ta requête aux Mirgödes.

— Merci, princesse Arthélia. Mais je n'aurais jamais pu réussir cette mission sans l'aide de tous ces valeureux chevaliers qui…

— L'humilité est la qualité qui révèle le plus la grandeur d'un homme, l'interrompit la princesse.

Puis, apercevant le prince encore allongé sur le sol, elle se dirigea vers lui.

— Nous avons tant à faire pour qu'Argöss redevienne ce qu'il était! dit-elle, pansant les blessures de Rhödem tout en procédant à son petit rituel de guérison. Mais je connais bien mes sujets. Nous nous relèverons comme nous l'avons toujours fait.

Le prince la remercia et se remit sur ses pieds.

— Allons retrouver nos frères, suggéra-t-il. Espérons que le grand Kénöss les aura protégés!

À ce moment, un bruit étrange se fit entendre. En se retournant, tous virent le petit Irbit dans un coin de la pièce. L'air misérable, celui-ci frappait avec son pied sur un morceau de métal tout en fixant le sol.

— Te revoilà, Smhöll! Mais où étais-tu passé? demanda Will.

— Si vous saviez…. J'ai si honte de vous avoir trahi.

— C'est déjà oublié! Tu t'es bien racheté depuis. En me sauvant la vie tu as contribué à la reconquête du royaume.

Will se tourna vers la souveraine et annonça :

— Smhöll est un grand héros, princesse Arthélia!

— Merci à toi, Smhöll! Tu en seras récompensé comme il se doit, promit-elle.

— Mais... euh… Oh! merci, Votre Altesse! balbutia l'Irbit, très embarrassé.

— Tu vois, Smhöll, faire le bien est plus valorisant que de s'adonner au mal, déclara Will avant de l'inviter à le suivre d'un geste de la main.

Tous sortirent du palais. Un désolant spectacle les attendait. Le soleil, dont les premiers rayons avaient chassé les sombres nuages, brillait à l'horizon. L'énorme boule de feu éclairait la cité presque complètement dévastée.

C'est alors que, surgissant d'un peu partout, les survivants vinrent se masser devant le palais. Précédés de Göliak et des trois souverains ayant survécu, les loyaux et dévoués guerriers s'inclinèrent devant la jeune souveraine.

— Braves chevaliers, vous avez fait preuve d'un courage exceptionnel. Sans vous, la cité lumière aurait disparu! Vous serez toujours accueillis dans mon royaume comme mes frères de sang. J'en fais le serment, proclama la princesse.

— Vive la reine Arthélia! clamèrent les hommes réunis au bas de l'immense escalier menant au palais.

— Arthélia, ma petite, n'aie crainte! Le peuple des Norvëgs sera à tes côtés pour la reconstruction de la cité lumière, affirma Göliak.

— Nous y serons aussi! s'écrièrent les autres souverains, entraînant un concert de cris d'encouragement qui émurent profondément la princesse.

Regardant Arthélia droit dans les yeux, Rhödem la rassura à son tour :

— Ne vous inquiétez plus, princesse. Nous serons tous auprès de vous. D'ailleurs, si vous le permettez, j'aimerais réserver pour moi la meilleure place, celle qui se trouve tout près de votre cœur. Et si vous partagez mes sentiments, vous me feriez un bien grand honneur en acceptant de m'épouser.

La princesse, le cœur débordant de joie et les joues rosissantes, s'inclina et répondit :

— Ce sera avec joie, prince Rhödem!

— Vive les fiancés! crièrent en chœur les chevaliers attroupés devant eux.

— Argöss va devenir le plus grand de tous les royaumes, jubila Dhövik, qui venait d'assister à la scène.

— Je vous promets que lorsque votre cité sera entièrement restaurée, nous célébrerons dignement nos épousailles, assura Rhödem. Prenant ensuite la princesse dans ses bras, il lui donna un tendre baiser.

☽ ☆ ☾

Les hommes ayant établi un campement dans les champs avoisinants, tout le monde put ainsi se reposer et panser ses blessures.

Will, inquiet de ne pas voir revenir son jeune ami, s'écria :

— Mais où est Kündo?

— Il est ici! répondit Hulrïk.

Will et la princesse accoururent au chevet de leur compagnon.

— Kündo! s'exclama Will.

— Malheureusement, il ne vous entend pas. Je ne crois pas qu'il survive à la journée, précisa l'infirmier avant de se retirer.

— C'est trop injuste! pesta Will, qui sortit en trombe de la tente.

D'abord Arouk et maintenant Kündo. Pourquoi?

Le cœur gros, Will alla s'asseoir sur un rocher. Il lança un caillou qui ricocha sur un arbre avec un bruit sourd. Un second projectile suivit aussitôt, mais curieusement, celui-là n'éveilla aucun écho. Will en ramassa un troisième qu'il projeta avec encore plus de force. Mais, encore une fois, aucun bruit ne résonna.

Perplexe, Will s'engagea dans la forêt. Soudain, Gaël apparut, entouré de son habituel halo blanc. Il tenait à la main les deux derniers cailloux jetés par Will, symboles de sa colère.

— Gaël? Je croyais ne plus jamais te revoir! dit Will, partagé entre la joie de retrouver son ami et la tristesse de perdre Kündo.

— Je comprends ta peine et je compatis à ta douleur. Kündo ne méritait pas de finir ainsi. Sa vie a été remplie de cruelles épreuves, mais tel en a décidé le Très-Haut et il ne nous appartient pas d'en juger. Alors, courage mon ami…, conclut Gaël, avant de disparaître.

Will ressassait les sages paroles de son ami quand il crut entendre la voix de Kündo qui l'appelait. En levant les yeux vers le ciel, il eut une nouvelle vision : il était aux côtés de son ami agonisant et lui tenait la main pour l'accompagner dans ses derniers instants. Lorsqu'elle prit fin, Will se précipita vers la tente où reposait son fidèle compagnon, bien décidé à tout faire pour empêcher l'inévitable.

À son arrivée, il trouva la princesse en pleurs, veillant le brave petit Kündo.

Arthélia s'adressa à Will :

— Kündo te réclame depuis un moment.

Will retira la pierre qu'il portait à son cou et la déposa sur son ami. Celui-ci entrouvrit les yeux avec difficulté.

— Will, je veux... que tu saches... que ce fut pour moi... le plus grand des bonheurs... d'avoir été ton ami..., murmura Kündo, avant d'exhaler son dernier souffle.

— Nonnnn! cria Will, qui tenait encore la main de son protégé.

Levant les yeux au ciel, il poursuivit :

— Pourquoi? N'a-t-il pas assez souffert, en plus de servir Ta cause jusqu'à en perdre la vie!

Le cœur serré, Will regardait le corps inanimé de Kündo.

— La colère ne réglera rien, reprit doucement la princesse en posant sa main sur son épaule. Laisse-le aller. Il ira rejoindre ses parents bien-aimés.

— Puisqu'il en est ainsi..., laissa tomber Will en reprenant sa pierre.

Puis après un court silence...

— Regardez! s'exclama Dhövik. Ses poils et ses griffes disparaissent!

Malgré son inertie, Kündo avait à présent recouvré son corps de petit garçon.

— Tout de même, je suis heureux qu'il soit enfin libéré du sort qui l'emprisonnait dans ce corps qu'il détestait tant, soupira Will, les yeux rougis.

— Avez-vous vu? lança Rhödem, qui venait de se joindre à eux. On dirait que le petit a cligné des yeux.

Soudain, sous leurs regards ébahis, le garçonnet rouvrit les yeux.

— Où suis-je? Que s'est-il passé? Will, tu es là! Et la princesse Arthélia aussi!

Puis, en se relevant et en examinant son corps maintenant semblable à celui des autres garçons, Kündo s'écria :

— Vous avez vu ça?

— Kündo! jubila Will le cœur débordant de joie, je te l'avais bien dit que si tu luttais avec moi pour une juste cause tu en serais récompensé.

La princesse jeta un regard complice à Will et fit allusion à la promesse faite dans la grotte des alpes maudites.

— Cela te dirait-il de venir habiter avec moi et le prince Rhödem dans mon palais? demanda-t-elle.

— Oui, bien sûr! Mais Will…

— Ça va, Kündo. Ne t'inquiète pas, tout ira bien, assura Will. Je dois maintenant reprendre la route, mes amis ont besoin de moi!

— Will, je…

— Tout va bien se passer.

— Promets-moi de faire attention! insista Kündo, qui se plaqua contre lui pour une longue accolade.

— C'est promis, fit Will, la main sur le cœur.

Il accompagna ensuite ses amis hors de la tente où ils mangèrent et se détendirent, libérés à présent de la grande malédiction.

Une flambée de réjouissances éclata au sein des troupes lorsqu'un bon nombre de chevaliers arrivèrent. Ces derniers avaient été grièvement blessés et transportés à Zörgül, où les Zörgs les avaient rescapés pour la plupart. Ensemble, ils se réjouirent et renouèrent des liens d'amitié.

Après ces joyeuses retrouvailles, Will s'adressa à ses compagnons d'armes :

W
G

— Mes amis, ce fut pour moi un honneur de combattre à vos côtés.

— Vous nous manquerez, chevalier Ghündee. Êtes-vous sûr de ne pas vouloir l'aide de mes hommes pour retrouver vos amis? demanda le roi Göliak.

— Je vous remercie de cette offre généreuse, mais c'est une tâche que je dois accomplir seul, précisa Will.

Puis il se dirigea vers sa tente pour prendre du repos avant le long périple qui l'attendait.

☽ ☆ ☾

Le lendemain matin, Will fit ses adieux à ses amis. Le cœur serré, il partit vers la cité d'Argöss qu'il devait traverser pour rejoindre le sentier des Argössiens, lequel menait au peuple des Mirgödes, gardiens de l'Antre des Maltïtes.

Puis regardant s'éloigner Will, Göliak s'écria :

— Chevalier Ghündee, puisse Brägma le Tout-Puissant vous accompagner partout où vous conduiront vos pas.

Will répondit d'un signe de la main et prit résolument la route en direction des terres inconnues du Veldüm. Il espérait de tout cœur arriver à temps pour retrouver ses amis Markus et Jawäd sains et saufs...

Index

Répertoire des personnages, créatures et artéfacts

Adrïd : solide guerrier aux longs cheveux noir ébène, souverain du peuple Gorgöl.

Arthélia : souveraine du royaume d'Argöss. Elle est pourchassée par la sorcière Zôria qui souhaite s'emparer de son corps et régner à sa place.

Athär : colosse rouquin, souverain du Rhoväd.

Aurora : déesse de la lumière. Celui qui porte sa pierre reçoit assistance et protection.

Bradök : bras droit du prince Rhödem, c'est un homme de confiance d'une force impressionnante.

Brägma le Tout-Puissant : invisible aux yeux des mortels, il est le créateur de toute vie dans ce monde.

Brokiäm : souverain du peuple Nivïte.

Cerbères du passage : bipèdes poilus à tête de taureau. Ce sont les gardiens de la grotte du mont Kirfü, endroit où se trouve le Psyliüm d'Archée.

Corneille : apparence favorite que prend la sorcière Zôria.

Crypton malicieux : gigantesque serpent de plus de cinq mètres de long. Ces terrifiantes créatures sont capables d'avaler un homme en quelques secondes. Leur énorme gueule est munie de deux crocs qui sécrètent un venin foudroyant.

Dhövik : petit homme trapu au crâne dégarni. Il porte de petites lunettes rondes qui tiennent en équilibre sur le bout de son nez et un crayon sur l'oreille droite. Il est l'inventeur du Körélium et du Mirädor.

Dragon bicéphale : espèce de dragon à deux têtes doté d'une énorme queue. Autre apparence que prend la sorcière Zôria.

Faucons plongeurs : monstrueux rapaces aux serres acérées.

Gaël : ancien serviteur de la princesse Arthélia. Gaël est devenu Arouk, un Taskoual porte-bonheur à la suite d'un sort jeté par la sorcière. Il est maintenant le protecteur divin de Will.

Göliak : souverain des Norvëgs. Grand et vigoureux chevalier à la barbe grisonnante. Sous des dehors rudes il cache une grande bonté.

Gorbö : sorcier qui hante les alpes maudites. Il voue une haine profonde aux enfants.

Guerlüks : montures des chevaliers. Ces bêtes portent deux cornes sur le museau, dont une est plus petite que l'autre. Leurs pattes griffues et leurs oreilles comparables à celles d'un hippopotame leur donnent une allure sympathique.

Hölvig : courageux paysan. Il fut le premier à fomenter une révolte contre Imgöla.

Hommes-cafards : grosses bêtes mi-hommes, mi-animaux, dont le haut du corps s'apparente à celui d'un cafard.

Hommes-sangliers : créatures hideuses à tête de sanglier. Leur corps massif est recouvert de fourrure brune aux reflets noirs.

Hommes-serpents : humanoïdes à tête de serpent. Leur peau est recouverte d'écailles luisantes. Mis à part les hommes-sangliers et les scarabées géants, ce sont les plus dangereuses créatures du monde des Argössiens.

Hommes-termites : monstrueux insectes avec un corps à silhouette humaine.

Imgöla : dangereux tyran propulsé aux enfers du Golgöva par Odak et ramené dans le monde d'Argöss par la maléfique Zôria.

Irbit : homme miniature aux cheveux en bataille et aux oreilles fines et sans lobes. Son nez ressemble à une pomme de terre. Ses vêtements modestes sont semblables à ceux des paysans. Il possède de nombreux talents de camouflage.

Représentant : SMHÖLL, seul individu connu de sa race.

Kénöss : demi-dieu, gardien des forces du bien. Cette créature, mi-homme, mi-cheval de mer, est d'une incroyable beauté. Brägma lui a légué le pouvoir d'expédier les esprits maléfiques au Golgöva, ce qu'il fait avec son sceptre.

Kharölas : vieux sage solitaire. Il a parcouru ce monde en semant des graines de bonheur là où la vie le conduisait. Il s'établit ensuite à Argöss définitivement.

Kündo : enfant au corps devenu difforme à la suite d'une expérience ratée de Zôria. Sa main droite et son pied gauche sont recouverts de poils et pourvus de longues griffes noires.

Lion préhistorique : grand félin aux crocs acérés, capable de terrasser un adversaire d'une simple morsure.

Mammouth : une des nombreuses transformations de Smhöll.

Mandrökes : démons vengeurs animés par l'esprit d'anciens guerriers maudits. Ils proviennent des ténèbres les plus reculées du Golgöva. Si ce n'était de leur Kwändaï, ce point vital qui leur donne le souffle de vie, ces monstres en armure seraient pratiquement invulnérables.

<u>Représentants</u> : IMGÖLA, chef. OTHÖR, son bras droit.

Mendénüs : souverain et commandant de l'armée des Maltïshs.

Mirgödes : peuple secret qui protège jalousement son territoire contre toute intrusion étrangère. Ce sont les gardiens de l'Antre des Maltïtes.

Mörth : le plus rapide des messagers du roi Göliak.

Odak : dit le brave, premier souverain d'Argöss. Il fut le premier à envoyer Imgöla dans les profondeurs du Golgöva.

Psyliüm d'Archée : précieuse dague capable de vaincre les esprits associés aux forces des ténèbres. Patiemment sculpté par Kénöss et taillé à même le trône de Brägma, ce joyau libérateur a été béni par le Tout-Puissant et investi du souffle de lumière de la déesse Aurora. Il repose enchâssé dans le Cryptiüm d'Éböss.

Rats géants : énormes rongeurs qui habitent les alpes maudites. Ils sont sensibles aux chants naïfs des enfants.

Rhödem : prince de Malagösh, royaume voisin d'Argöss. C'est un fier guerrier à la longue chevelure blonde et au regard perçant.

Römer : prince des Wollöss et commandant de l'armée de ce royaume.

Roucouleur des marais : messager du prince Rhödem. Ce volatile a l'allure d'une chouette à plumage blanc, tacheté de rouge. Il se distingue à sa façon de se tenir sur une branche, la tête en bas, à la manière des chauves-souris.
<u>Représentant</u> : WADÖ.

Scarabées géants : gigantesques insectes dotés de redoutables pinces qu'ils font claquer comme des cisailles.

Vhorlök le Grand-Ténébreux : demi-dieu déchu. Il est le maître du Golgöva et de toutes les créatures qui y sont enfermées pour l'éternité.

Zébriüs : animal à tête bovine dont le corps s'apparente à celui d'un zèbre. Ses rayures orange vif zigzaguent de sa tête à sa queue.

Zirnöks cracheurs : imposants volatiles à tête de serpent.

Zörgs : Hommes-végétaux, faisant une fois et demie la taille d'un humain. Ils vivent dans les marécages.
Représentant : GORGÖ, suprême.

Zôria : infâme sorcière à l'état de spectre. Elle est capable des pires ignominies pour s'approprier le royaume d'Argöss.

Table des matières

Ce document a été imprimé sur du papier contenant 100 %
de fibres recyclées postconsommation, certifié Écolo-Logo
et Procédé sans chlore et fabriqué à partir d'énergie biogaz.